畫　廊

——莫渝美術詩集

莫　渝　著

文　學　叢　刊

文史哲出版社印行

國家圖書館出版品預行編目資料

畫廊：莫渝美術詩集 / 莫渝著. -- 初版 -- 臺北
市：文史哲, 民 106.10
　頁；　公分（文學叢刊；384）
　ISBN 978-986-314-393-2（平裝）

851.486　　　　　　　　　106018730

文　學　叢　刊　384

畫廊：莫渝美術詩集

著　　者：莫　　　　　　　　　渝
出 版 者：文　史　哲　出　版　社
　　　http://www.lapen.com.tw
　　　e-mail：lapen@ms74.hinet.net
登記證字號：行政院新聞局版臺業字五三三七號
發 行 人：彭　　　正　　　雄
發 行 所：文　史　哲　出　版　社
印 刷 者：文　史　哲　出　版　社
臺北市羅斯福路一段七十二巷四號
郵政劃撥帳號：一六一八○一七五
電話886-2-23511028 ・傳真886-2-23965656

定價新臺幣二五○元

二○一七年（民國一○六）十月初版

ISBN 978-986-314-393-2　　09384

畫　廊

——莫渝美術詩集

目　　次

【推薦序】

用天使的語言詮釋畫作

俄國作曲家穆索斯基於 1874 年為了悼念過逝的至友，譜下了至今依然傳頌不斷的名曲：《展覽會之畫》。這部作品細膩地傳達出至友生前的傑作，成功地讓畫與音樂作了深刻的結合。一百多年後，本書的作者──莫渝──試者以詩與畫作另一種的結合，為現代詩創造出新穎的寫作形式。

莫渝高明地讓畫作與詩在書頁裡巧妙的相遇，如戀人般地邂逅，相互激盪出璀璨的火花。畫與文字間的連結不止是相加，而是有相乘的效果，文字的詩意和畫的象徵、喻意都變得更為濃密。

處身於忙碌的現代人，如果能擁有這樣一本書，放在身邊隨時翻閱，一定可以讓心境平靜不少。不拘時間的長短，如於候車時，上床睡前這種片段的時刻，有美好的詩及畫的陪伴，浮躁的心因而放鬆下來。這本書可以從頭看起，也可以跳著

看，隨手翻到哪一頁讀起都無妨。莫渝的詩向來有如：溫煦陽光照映在微風吹拂的青翠草原似地恬靜之美，深入淺出的詩境值得細讀回味。

千禧年時，我在社區大學開了「影像中的意象追尋」的課，轉眼間十多年過去，談了無數的電影。其間曾討論人們稱之為電影詩人——希臘大師級導演——安哲・洛甫羅斯的系列電影，其影像常籠罩在層層沁人肺腑的詩意裡，大師的電影果然不凡，也讓我深切地感受到除了文字之外，詩——包含在世間所有存在的事物之中，不同類型的藝術呈現出各種不同的詩章。即使一棵樹，一粒不起眼的石頭都蘊含了詩的印痕，狂風暴雨也顯現了詩的激情與力量，成功的詩人要在看似無意義的遭逢中叩問出屬於詩的踪影。

上課時有學員提問：「何謂詩意？」說實在的這問題我真不知道如何回答，它不一定是美妙的詞藻，也不一定是華美的景物，它是超乎表面的，存在於創作者與觀賞者的意識或潛意識之內，和個人的學養、成長環境與文化、生命經歷及性格等等相關聯，有如一條條看不見的線索互相牽連蔓延，刺激著個人的情緒與思想，讓意義和心靈感悟產生精微的互動。

上個世紀初誕生了新文學運動，新詩／現代詩應運而興起，百餘年後依然聽到有人疑惑地問：現代詩究竟是什麼？心存輕蔑的人回答：那只是散文斷句的重新排列而已。然而認真

投入創作的人一定會不服氣地提出各種不同的說法：其實個人一直覺得現代詩要比古典詩詞更為難寫。試想：唐詩宋詞都有一定的格律、字數、平仄、押韻的定規，看來似乎限制了創作者的自由，但反過來說這也是替創作者設下了骨架，沒有才思的作者只要遵照那要求，填入必要的字數、平仄及韻腳，即使再怎麼因循無趣，人們都不能否認它是一首詩或詞曲。

現代詩掙脫了那框架，卻要面臨更大的挑戰，在一片沒有界標的未墾荒野，要如何走出一條通往詩鄉的道路？又要如何克服文字的慣性，描述什麼樣的情境事物才搆得上是詩？在所有定規都散失之際，唯有靠作者本身的直覺與才藝為判準，只能說是如人飲水冷暖自知了。

詩除了要形式精煉之外，還要注意幽微的隱喻與意象的含蓄，這點和畫的創作很類似，二者都有某種曖昧的本質。本書透過作者的巧思，把畫與詩調和成動人心弦的協奏曲，不下於穆索斯基的名曲。1950 年代作家徐訏曾說：「詩是天使的語言」，如今莫渝用天使的語言來解讀、敘述畫作的奧祕，我還能再說什麼呢？

　　　　　　　　　　　　　　　　盛正德 2017.夏.

【推薦序】

詩與畫的交會

　　詩、畫等等藝術都是一、非全理性，二、具創造性，三、含生命動能、動態、因子。它們基於生命體驗和感悟。是生命直觀的表現，生命能量的轉化。生命，乃為藝術創造意義和價值的根本。歌德的《浮士德》在歌詠創造性生命；莫渝的《畫廊》，在讚頌花開的美術園地，也是一種歌詠創造性生命。

　　詩和畫，有許多相似處，亦有某些差異性。畫是一種無聲的詩；詩則是一種有聲的畫。詩以文字，畫以點、線、面、造形和色彩為表現工具。繪畫的目的要使人看到想像的極致，而非自然現實傳移模寫的頂點。然而長久以來，人們習以為「繪畫只表達自然現實形像之美」。事實上，繪畫的本質應該是詩性、詩意、詩境的，並非只是客觀世界的摹仿。

　　詩較畫的局限性小。詩以文字，文字能創造無限制的境界。作為畫家必須具有詩人的詩心和本事。廿世紀初超現實主義畫家米羅（Miro），是以造形、色彩在平面繪畫上造詩境、表詩意的繪畫詩人。

　　莫渝〈圓點〉一詩內有句「從學會走路起，每個人都可以是傑出的米羅」。然則，怎麼「學」及走什麼樣的「路」才是最關緊要的。莫渝在《畫廊》裡展現的視野、敏感度、對本土（在地）文化、藝術、歷史的了解和關懷，正是讓讀者們有得「學」的一條好「路」。吾人也可說想成就為「傑出的米羅乃至於梵谷等等等」，必須走進「詩路」，才能釋放濃縮的生命能量。孔子所言「詩可以興、觀、群、怨」也適用於當代。此興、觀、群、怨也正是畫的表現領域。

　　莫渝是藝術愛好者，也是藝術鑑賞家、哲學家，及對在地種種深度關懷的詩人。莫渝對西洋美術史和台灣美術生態的研究及熟稔，令人驚訝。從維米爾到日本來台寫生的不破章，東山魁夷；從米羅、羅丹、梵谷到李石樵、陳進等台籍畫家們。其內容架構，時、空，座標，相當深遠寬廣。莫渝精練的文字，寥寥數言，即能精確地把每位他所收選的美術家，其性格、意識形態和作品風格、精神點了出來。這應是來自詩人敏銳的生命直觀。莫渝詩寫畫家，其詩賜予畫者莫大啟示。

寫於 2017.08.

施並錫
畫家、散文作者、
台灣師範大學美術系退休教授

【推薦序】

從梵谷的太陽到陳澄波的雲海

讀莫渝之讀畫寫詩

　　詩與畫，本是關係密切。以詩描景或寫畫，古已有之，古希臘即名為「讀畫詩」（Ekphrasis）。中國文化亦有以詩題畫，標榜「詩中有畫，畫中有詩」之傳統。詩人莫渝此次出版之詩集《畫廊》，則別出心裁，更有相當的開創性與深意。

　　在《畫廊》當中，我們固然可以看到莫渝將畫作入詩，以詩意的筆法描述作品中的情景，以及詩人品畫的感受（如輯二），但有許多詩作則不限一畫一詩，而是以藝術家為題，進行更深度的闡發（如輯三、輯四與輯五）。描寫個別作品，大抵仍只是一種題記，縱使借題發揮，亦不免有所限制，且還是在讀畫詩的文類傳統之下。莫渝則嘗試跳脫此種傳統，以詩人的心靈去接觸、去感知藝術家的心靈，為他們／她們的整體創作，寫下共感之詩。這也顯示了莫渝確實是藝術的

深度愛好者，不是浮光掠影的逛畫廊的人。我們可以想像，莫渝一定是在畫廊或美術館裡細心品賞藝術家的每件作品，回家後還可能透過畫冊，流連於紙上畫廊，方能寫出如許深刻的詩作。

這種並非以個別作品為主題的讀畫詩或題畫詩，而是以一位藝術家為題的詩歌創作方式，確實並不多見，尤其是在現代中文詩歌當中。儘管也有少數前例，像是被魯迅讚譽為「中國最傑出的抒情詩人」馮至，他的《十四行集》裡的第十四首〈畫家凡訶〉就是描寫梵谷，但畢竟罕見。至於台灣現代詩雖不乏讀畫詩的作品，如紀弦的〈吠月的犬〉即為一例，但是像莫渝這般廣泛涉獵視覺藝術，相關創作甚至累積到一冊詩集之份量的詩人，的確少有。

而且莫渝亦非以量取勝，更非主觀隨意掇選藝術家，而是有其邏輯系統性。《畫廊》當中的輯三，皆以台灣本地藝術家為主題，其中不僅有所謂前輩畫家，如陳澄波、李石樵與張義雄等人，亦包含當代藝術家，如侯俊明等。輯四更以台灣女畫家為專題，為女性藝術家在此「詩之畫廊」裡特別開闢展覽室，足見詩人之用心。就此而言，莫渝的《畫廊》不僅是詩人個人的心靈畫廊，更是他以詩歌建立的台灣本土美術館。

身為笠詩社的重要成員，莫渝亦稟持著笠詩社一貫之根

植本土的精神,《畫廊》對本土藝術的關注即為見證。隨著莫渝的筆端,我們不僅可以觀賞到梵谷的太陽、維梅爾的織女和葛飾北齋的富士山,亦能看到陳澄波的雲海,以及侯俊明衝撞禁忌的精神,且同樣都能透過詩歌而體會到藝術的悸動。並且,從詩人讀陳澄波畫作而寫之詩當中,我們或許會感受到更深的愛與痛。

　　不論你是愛逛畫廊和美術館的藝術愛好者,抑或是愛讀詩的讀者,相信你一定會在莫渝的《畫廊》裡,看到讓你感動的深刻情意。

盛　鎧
國立聯合大學台灣語文與傳播學系副教授
台灣美術研究者、策展人（張義雄百歲回顧展、侯俊明作品與手稿展）

【推薦序】

閱讀《畫廊》

　　2017 年 5 月因參加文訊雜誌社在紀州庵舉辦的「浪濤已盡、惟詩留下」座談會，再次見到莫渝兄，1972 年我參加後浪詩社，當時在台灣國立藝專學習美術，也在李仲生老師畫室研習現代藝術，知詩社同仁莫渝兄在北部教書，一回他請我在西門町一家麵食店吃飯，他說想去法國看看！那一晚，我們勾肩搭臂的穿過西門町。而我與詩人莫渝兄兩度相見，竟間隔四十五年！昔年英姿勃發，今已兩鬢斑白！

　　　　　•

　　莫渝是個有國際觀視野的詩人，他說：「賞畫是我的權利，讀畫寫詩是我的權力。」莫渝的美術閱讀接受史，和我是很近似的，主要是從畫冊、傳播印刷品，以及親臨各大美術館及諸大家畫展賞畫而來，然而，他讀美術史却是以接受為準則的！接受這詞很有意思，因就算不同意也可以接受，他自然不是那種食古不化的照單全收，更不可能像我這科班學生，常被各家流派牽著鼻子走，或迷失在外國理論台灣製造的情境中！作為一個觀賞者，莫渝竟多情的想為心儀的藝術家說些「詩」話：以詩「雕」之。但，單從實用的角度而言，我覺得，這種詩寫作方法，至少可為莘莘學子寫作，尤

其是初習詩者提供良好的起手式示範！

　　詩人和藝術家完成作品，所使用的語言不同，詩人主要的是應用文字，畫家所使用的主要是造形、色彩、構成、意象、圖騰……彫塑家則應用了三度空間的思維、形、色、質感、量感、空間……莫渝意圖以一顆詩心，潛入藝術家的世界中，解讀出其中的思維奧義，乃至不可測的神秘密碼圖騰，這頗需要勇闖的魄力及耐力！開卷，梵谷以一顆孤獨的太陽之姿出場，何其耀眼的光華呀！

　　　　閃爍如斯，銳利如斯
　　　　生命潛藏的逆流
　　　　突然欣悅黃金的挑逗
　　　　遂展現全然的
　　　　高度的焚然狀態
　　　　以生之驕傲賺取最最亮麗的一簇燄花

　　藝術家常是美學空間自我世界的君王，却常惹得附庸風雅的人說那是浪漫，他們却也常淪落為現實生活世界的爛爛人、瘋子，生時沒沒無聞，作品乏人聞問、死後則震驚國際，作品一再創新高價，我常問：這就是常人印象中，藝術家必然的宿命結局嗎？還是傳媒發達的今日，財閥操弄下的業績？有故事才方便作品行銷，有強烈的故事更能滿足觀賞者的偷窺慾！？《畫廊》裡的詩或散文，可以看到莫渝有時面對藝術工作者那個人，有時面對藝術作品本身，不論平面或是立體，寫實或抽象的，其中有他的發現、有尋覓，有向作

者致敬、有和作品對話、有膽度、有同情、有詩人的將心比心……！而他轉化而成的每篇十四行詩，竟如美術速寫那般精準掌握對象總體旨要及特性，乃至挖掘下去，直達作者作品核心價值所在，這是讓我最訝異最佩服的地方！以十四行論定每位藝術家或其作品，他所敘述舖陳使用的詞彙平白易懂，總體讀來却又叫人覺得，每個節奏是如此的淡定從容！

　　被詩人莫渝選入《畫廊》的藝術家們並非個個都像梵谷、羅丹那樣具高知名度，像一生忠於畫／畫家鄉解鄉愁／畫愛與和平／對未來寄予期待的何德來。殖民地的叛逆者／學潮下的悲劇學生的陳植棋。在水邊寫生／聽淙潺吟詩／生命長持流動／是早慧畫家／是憂鬱文青的張建墻，對我而言實在陌生，且從未聽聞過！不獨厚光華璀璨的巨匠、詩人莫渝是善良柔軟的，也是善解人意的，對於這塊土地上曾經付出過的同好、藝術界的先進們，他總不忘在歷史的長河中將他們找了出來，將他們的事蹟讓更多世人知道！從這一點也可看出，從事詩畫藝術者其心是能以靈犀相通的，不分東洋西洋、而是能跨越時空，互古相照映的！詩人莫渝是人道精神的擁戴者！莫渝的《畫廊》讓我讀到他的真心與誠意！

於朗陶林 2017.0829／1052

林興華

詩人、畫家、陶藝家。

瑞穗「朗陶林工作室」主持人。

【自　序】

我的美術閱讀接受史

　　沒有繪畫能力的家族。1950 年代小學沒什麼畫畫課程，一片空白。偶而，靠窗玻璃臨摹交差。

　　初中（1960-1963）有美術課，不甚了了，略記得美術老師的名字：吳逐水（是級任導師）。在台中師專讀書（1963-1968），有素描、國畫、造型等課程。當時專校老師呂佛庭、鄭善禧、林之助等師長，到了世紀末都成了大師、國寶級。自己也的確不認真，明確講是沒有天份。印象裡，教造型的宋老師，要我們用強力膠沾黏火柴棒，做立體造型，東接西黏之下，完成一個既圓又方的造型，取名「城堡」，再自言創作過程一番。離校前一兩年，學校來一位女老師張淑美（師大剛畢業）。在校慶活動的美展，見到她的西畫，留下一絲淡淡感覺。

　　沒有畫畫成績，倒是喜歡翻閱畫冊與雜誌。雜誌有《前衛》和青年畫家黃朝湖的《這一代》，均只出刊二期；也購讀黃朝湖的《為中國現代畫壇辯護》（文星叢刊，1965 年）。畫

冊是學校圖書館開架式（當年並無開放書庫）陳列的外國畫家畫冊，包括日本出版社大型 16 開本，最著迷於梵谷。1968年春畢業環島旅行，在台北到正中書局購《生之慾》（林繼庸譯，Lust for Life），引發往後完成一詩〈陽光詩抄〉（1969 年）一文〈梵谷的震撼〉。

　　時空一跳，已是 1980 年代初，在法國讀書。兩枚四法郎的法國郵票，竟然是名畫，稍後才認知他們：維梅爾（Vermeer, 1632~1675）的〈織女〉和巴爾杜斯（Balthus, 1908 年出生，法國畫家）的〈土耳其閨房〉。參觀羅浮宮，〈摩娜麗莎的微笑〉無法避免，德拉克洛瓦的〈自由引領革命〉大型壁畫佔據一牆堵，益顯氣勢雄偉，埃及館的木乃伊和頭頂水瓶〈供祭女郎〉的木然眼光，震顫力不小。

　　進入新世紀，較有時間參觀畫廊畫展，陸續寫些心得文章。2006 年起，在院校教「文學與藝術」，稍後分「世界文學」和「藝術巡禮：繪畫欣賞」。對藝術家與書刊的接觸更多。除自己讀畫寫詩外，也鼓勵學生嘗試。幾位學生留下的資料，置此存念：

最後的晚餐　　　　廖亭雅

十三個人
十三顆心
氣氛　如同緊蹦的琴弦

猶如暴風雨前的寧靜

今夜
誰的忠誠受到了懷疑

蒙娜麗莎的微笑　　　　　廖亭雅

那女人
擁有世上最完美的姿態
她的視線
緊隨著你的步伐移動
臉上那抹自信的神情
她早有把握
你已忘不了她的笑顏

吶　喊　　　　　林雅筑

橘紅色的天空
扭曲的線條
1893 年的正方框架
無預警我被吸入
焦慮佇立橋上
雙手輕撫兩頰
失了表情，無聲的

啊！知我者孟克

大傑特島的星期日下午　　張譯云

那陽光普照的大傑特島
仕女撐著陽傘躲避烈日　放假休息的勞工恣意坐
　在草地上小憩
人類所飼養的各種寵物也在草坪上玩耍
編著花圈的女孩　一家三口的天倫之樂
湖面上的帆船緩緩開過　一個優閒的午後時光
色彩炫目的斑點　一點一點的撒在畫布上
　秀拉也悠閒地把這樣悠閒自在的時空點進了畫中

　　這四件作品，均為 2013 年台灣語文與傳播學系大一學生
之作。從他們的選題可以看出一個怪現象：台灣美術教育（美
學教養），認識外國畫家勝於本國，甚可直言：不認識不了解
台灣畫家。或許不止畫界如是。因此，在我的課程第二階段
台灣部分，一定先讓學生曉得日治時期到東京學畫又到巴黎
學藝的四位前輩台灣畫家。

　　十年左右「繪畫欣賞」的教學與閱讀過程，學生必需提
交畫家介紹與五幅畫欣賞的兩份紙本作業（一份外國一份台
灣畫家），還需在課程中作乙次 ppt 口頭報告（不與前兩位畫
家重複）。我個人亦斷續寫了些與畫家或畫作的詩文（書內輯
二）。更想作的是為心儀的藝術家說些「詩」話：以詩「雕」

之。拖了不少歲月，今年 1 月，學期結束，擬定計畫：1.採不規則的十四行形式，2.抓住畫家的神韻、神采、神秘，3.不計較誤讀或誤解，4.不按照出生先後，預定完成 50 位……等。從 2 月至 6 月中旬，素描了台灣畫家 30 位、台灣女畫家 6 位、域外畫家 24 位，計 60 位。先暫停，歇息。有機會再繼續。

　　1995 年諾貝爾文學獎得主希尼（Seamus Heaney,1939～2013），有詩句：「我寫詩／只為凝神自照／只為使黑暗發出回聲」（賈勤譯），將之潤飾成：凝神鑑照畫家，讓他們發出聲音。

　　不是畫家，賞畫是我的權利，讀畫寫詩是我的權力。

　　如是，連同早年近期的一些詩文，與 60 首十四行詩，取名：畫廊，組成《畫廊：莫渝美術詩集》乙書，算是我的美術閱讀接受史。

莫　渝 2017.07.27.

輯一、早期

（1968～1983）

陽 光 詩 抄

——獻給梵谷：一顆孤獨的太陽

（一）

閃爍如斯，銳利如斯
生命潛藏的逆流
突然欣悅黃金的挑逗
遂展現全然的
高度的焚然狀態
以生之驕傲賺取最最亮麗的一簇燄花

傾聽啊！躍過太陽躍過古銅色時間的
這投身這猛勁
一位踽踽獨行的旅人的
跫音

（二）

火熱的頭顱高價拍售
沒有誰敢戲弄這方式的打賭
再走幾步
我們便發現太平間濾過的就更為容光煥發
容光煥發，獨叩不醒上次的夢遊

才是開始，怎麼一忽兒

鼠灰即佔領畫框裡冷餤的生命
顏料啊！還現原來貌樣
我高高的估價你

（三）
你呀！
在陽光的圖案中
血凝成的金球，自認輝煌的
習慣地不去求取什麼榮耀
祇把一組信仰深深投入
深深渲染成鮮明的黃

踏你腳印來的，不是叫做流星這種滾球

（四）
不是拓荒
亦非拾穗
陽光的炫燦，你呀！
融蝕了我飛昇的翅翼
我已醒覺，我本該是踩著土地奔走的鳥
掌心跳躍著原始親切的砂粒

　　　　　　　1969.01.12.-22. 北斗
　　　　　　　　——收進詩集《無語的春天》

梵谷的震撼

> 我需要太陽，我需要火熱猛力的太
> 陽⋯⋯。
> 沒有太陽就沒有繪畫。將來使我能成才
> 的也許就是那個熱的太陽。
> ——《生之慾》369 頁

　　梵谷的出現，是一個奇蹟，一個叛徒似的奇蹟。倘若，我們活在那個時代，做為他的近鄰，我們會看不見「他」。我們想不通何以他不能安份於某種職業：畫店職員，或者小學教師，或者傳道士。我們也想不通他連自己都養不活，還要供養妓女。我們甚至要罵他瘋子，因為他把右耳割下，送給那位「小鴿子」的女孩。

　　總之，如果在那個時代，我們看不見「他」的偉大，只因為我們是近視的凡夫俗子。幸虧，時間拉長我們的視線，現在，只要一舉頭，我們就輕易地仰觀這顆孤寂星球所放出的光芒。

　　關於什麼是藝術家，梵谷有一段精闢的見解：「藝術家的意義是以售賣作品為標準嗎？我以為它的定義是『一個正在追尋而尚未完全找著目標的人。』我認為它的意義不是『我知道了，我已找到了。』我說我是個藝術家，也就是說：『我

是在追尋，在努力，在以全副精神去做。』」（《生之慾》208頁）

　　梵谷的一生就是在追尋，在努力，當他發現自己的「根」時，他就以全副精神去做—「我要成為一個畫家，必然，我要成為一個畫家，我一定要，現在我已經找著我的事業，再也不會失敗。」

　　可是，畫畫對他並不是一帆風順的事。當他決定獻身畫畫時，已經 27 歲了，從未受過正式美術教育，而且，如果不是那位親愛的弟弟願意供養他，他的生活將是一大問題。

　　有人對他說：「你生來就不是藝術家，你的畫粗糙幼稚，我敢確定你決不能成為藝術家，你應當改行發展你的長處。」有位畫商原先答應銷售他的畫件，等到知曉梵谷與一位妓女同居，且將娶她為妻時，自動毀約了。又因為斷耳，及誤以為別人在湯中下毒，一般市民聯合要求市長逮捕他入獄。諸如此類的打擊接踵而至。

　　然而，繪畫成為他的宗教。他相信自己「只用一枝木匠的鉛筆，便可以勝過別人全套的畫具。」相信「就算我的軀體粉碎，我那繪畫的指頭仍是柔軟的。」相信「我願終生真善，肩任艱辛，真善與艱辛不會使人淪滅的。」相信「藝術家自有權去舖張，去創造一種較我們現在更美麗、更單純、更可安慰的世界。」

　　整整十年（27 歲到 37 歲），幾百幅鉛筆畫和油畫，從他的體內流出，每一幅畫都帶走他些許生命，直到他倒下去，只因為他說「我需要把心中所蘊藏的、想說的、表達出來。」

　　至此，我們肯定：他，生來就是一條「顏色的河流」。

　　他以畫告訴我們：任何一個生命都具價值，都該受到肯

定。

闔上《生之慾》，即使閉著眼睛，我依然可以看到一位病了，餓了，疲勞了，神經受到刺激的畫家，站在烈陽下的田野，猛猛地擠出，連同他的生命都擠出來的顏色。

如果有人想找尋一顆偉大的心靈，梵谷就是。

如果有一本書像卡夫卡說的：「一本書應該是我們心靈冰海的破斧。」那麼，《生之慾》（梵谷傳）就是。

——刊登《吾愛吾家》

補　記：

1. 美國傳記作家史東（Irving Stone）著 Lust for Life，1934年出版，1956年拍成電影。台灣有兩種翻譯版。林繼庸譯《生之慾》，1955年6月初版，正中書局；余光中譯《梵谷傳》，1956年11月初版，重光文藝出版社，1978年新版，大地出版社。

2. 美國作家亨利・米勒（Henry Miller）讚美梵谷的一席話：「我尊敬梵谷，……梵谷是一位不平凡的人類，一個了解愛的男人。……他最後與一個可憐的女孩結婚，只是為了他能夠照顧她。不是出於愛，而是出於對她的慈悲和關懷。他的作品反映出一種充滿光的精神—縱使他的生命在多方面而言都是悲劇的。（摘自陳觀月譯《第三情》，頁 160，不二版，1992年4月）

織女與帆船

——幾枚郵票的聯想

織女

　　走進郵局，寄家書或致友人書，我總會捨去便宜的航空郵簡，採稍貴的信封郵資；一方面與親友通訊息，另方面亦讓對方欣賞法國郵票，不是兩全其美嗎？眾多郵票中，吸引我的兩枚，均是名畫家郵票：維梅爾（Vermeer, 1632~1675）的〈織女〉和巴爾杜斯（Balthus, 1908 年出生，法國畫家）的〈土耳其閨房〉。後者極具挑逗浪漫風味，倒是前者的虔誠、認真模樣，頗能訴說我的心態。維梅爾，荷蘭台夫特人，是

幾位該國大師中，最穩健、溫和的畫家，他的代表作有（織女）、（展書讀的少女）和（台夫特風光）等。（織女）這幅畫或這枚郵票，實際意思是花邊女工，指專門編織花邊的女工，正在工作，昏黃的燈光下，織女微斜頭部，手上拿著針線，很專注地進行她的職責。

　　每次看到這枚郵票，我總會想到作家子敏說的「在月光下織錦」。他在書名也是篇名的文章中，說他是另外一種苦行僧，其作品都是「在月光下織錦」的成績，此外，也讓我聯想到翻譯法國詩的日本詩人堀口大學，他將其譯介的詩集取名《月下之一群》，集錄法國十九、二十世紀詩人六六家，詩篇三百餘首。同二位相較，我在濱河小屋，夜夜將彼埃‧魯易散文詩集《比利提斯之歌》逐首譯成中文，或許不足為道，但工作態度，與〈織女〉一樣認真、虔誠且專注。

　　雖然有時會懷疑文學工作者是否都如此，但，喜愛這枚郵票不曾減卻。因此，走進郵局，我總會端詳「她」，同時，細心地貼上，彷彿也貼進一份專注的感情。

　　參觀市立圖書館舉辦的錢幣郵票展，驚喜地看到小說家都德（1840~1897）作品《磨坊文札》內提到的磨坊，居然亦發行了郵票，因此，極力地想購藏。

　　先到一家集郵社，目錄上不僅有該枚磨坊郵票，且有多位詩人作家，有些已售罄，僅購得一套十九世紀三位詩人波德萊爾、韓波、魏崙的郵票。在集郵社沒覓得磨坊郵票，微微失意，但還有一個機會，那是每星期六上午集的跳蚤市場。

　　跳蚤市場，就是舊貨市場，有書攤、家具（包括舊床舖）、工具（包括木工、或園藝用品）、碗盤、明信片、風景照等攤

位，舉凡與古舊有牽連的物品，均可能看到。在舊錢幣、明信片、風景照的攤位上，我很快看到郵票堆了。商人採卡片包裝，約八至十張舊郵票浮貼硬紙片上，外面封上透明塑膠紙，並標明價格。在那兒，我找著兩張內有磨坊郵票之後，竟意外發現到也有一張中國郵票，計十四枚合貼在紙卡上，價值五法郎（約新台幣三十元）。

　　事後，我查尋《中國郵票目錄》，得知民國初年，先後幾次發行過帆船、農穫郵票。十四枚中，初步核對，有十一枚屬民國 12 年發行的北京二版帆船農穫郵票（其中帆船七枚、農穫四枚）、兩枚為民國 11 年 11 月發行的北京二版帆船改值郵票，另一枚是宋教仁烈士像（民國 20 年發行的先烈像，北平版郵票之一）。

　　這十四枚上眉刊《中華民國郵政》的郵票，最先引我注目的是九枚的帆船郵票。我想著這些帆船是怎麼漂洋到法國的？五、六十年前，哪一位或那幾位旅居法國的留學生或謀生者，他們遠在東方中國的家屬親友，在思念與報訊下寄出的？這些帆船曾經是殷勤的青鳥，替誰互通了款曲呢？接獲的是勤工儉學的留學生，還是第一次世界大戰後到法國謀生的華工呢？或者異國友人呢？

　　是否該歸之於緣，由參觀郵票展到磨坊郵票，再到帆船郵票，葉落總要歸根，這十四枚郵票在商人攤位中不知冷落多久，是否暗中慶幸回到相同文字的生活圈子？

　　而我，面對著這麼微小的文物，依然禁不住躍升親切之情。

——《台時副刊》（1987.09.28.）。

輯二、近　期

（2005～2016）

異鄉與故鄉如何對話？

你聽過何德來嗎？你認識何德來嗎？
何德來是誰？　Who is 何德來？

他是我們家鄉人。一位應該很有名氣的畫家！

他出身苗栗談文，沾鄉親的邊，我有極欲進一步認識、瞭解，購藏閱讀相關書刊畫冊的念頭；更重要的是他跟島內前輩畫家背景與活動不相同，他的主要場域在日本，不易打入台灣藝術的主流脈絡，稱他游離於台灣畫界的邊緣，又有點委屈。他是專業畫家，他留在島內的作品，都是過世（1986年）後，家屬的饋贈。

先前在謝里法的《日據時代台臺灣美術運動史》，僅僅識得其名。一份資料《台灣西洋美術前輩畫家簡歷年表》（1996年6月製），有一直欄的介紹，較其他畫家稍稍簡略，也未多加閱讀。直到 2001 年，我才注意到畫家何德來。2001 年 6、7 月間，國立歷史博物館舉辦「異鄉與故鄉的對話：何德來紀念畫展」。在展場，除了欣賞畫作外，最心動的三件事是：一、畫家是我的前輩同鄉，他出生談文，我竹南，相隔中港

溪。二、他有詩的創作，還結集出版日文詩集和歌《私道》（陳千武漢譯為《我的路》）。三、他在畫作與詩句中，流露對日籍妻子的情篤。

　　1904 年 8 月 14 日，何德來出生於日治時期新竹州淡文湖畔（今隸苗栗縣造橋鄉談文），為佃農之子。1908 年，過繼新竹大地主何宅五，收為養子，改名何鏡章。1912 年，赴日本東京求學，小學畢業後返台（1917 年），參加台中一中考試，順利入學就讀，並改回本名何德來。1921 年中學畢業，隔年，再度赴日本東京留學，1923 年，關東大地震，結識木邑謙二郎一家。1927 年進入國立東京美術學校西畫科（今：東京藝術大學油畫科）就讀，隨和田英作習畫。1931 年與木邑謙二郎長女木邑秀子結婚，1932 年 3 月，東京美術學校西畫科畢業，攜日籍夫人何秀子返回新竹，結合李澤藩、陳鏡波、莊火塗等同好，組織「新竹美術研究會」，指導青年學生認識及學習西習洋與東洋畫，並推動家鄉的油畫風氣；其設在新竹市北門 33-17 號畫室，經常展覽，還擴及新竹公會堂舉行。為更深入研究與創作，1934 年，再度前往日本，隨後定居日本，繼續繪畫，參加畫展及加入繪畫團體「新構造社」。戰後，1956 年，何德來返台，在台北中山堂舉行首次個展「旅日畫家何德來西畫展」五十件。1974 年，出版日文詩歌集《私道》，紀念妻子何秀子過世一周年。1986 年 2 月 1 日心臟宿疾發作猝逝於日本目黑自宅中。離世後，國內舉辦過三次紀念展：1994 年 12 月台北市立美術館「何德來九十紀念展」，1995 年 4 月新竹市立文化中心「何德來先生遺作返鄉紀念展」，2001 年 6、7 月間國立歷史博物館舉辦「異鄉與故鄉的對話：何德來紀念畫展」。

　　由於有妻子和姪子何騰鯨的撐持，何德來的畫家生涯都在無憂無慮中度過，把作品當成親生骨肉，不輕易割愛與出售他人，作品稍不滿意即毀之，因而作品量少，外界不容易見到。他在《私道》裡，有篇短歌：「Van Gogh 有個弟弟 Theo　騰鯨　　對我來說　　可以說就是 Theo」他過世後，由其姪何騰鯨捐贈台北市立美術館百餘件畫，捐贈新竹市立文化中心十五件畫。

　　他在和歌集《我的路》，用文字表達鄉愁、對妻子的愛以及宇宙觀。如「故鄉的小石頭三個　年輕的朋友／從台灣的土裡拿給我」；「遙遠的母親　對母親的戀情　喊母親　／就有跟我一起喊母親的回響」；「啊　　秀子　　如果覺得寂寞　　就喊我吧／我也覺得寂寞的時候　要喊妳」。其宇宙觀：「一個人所燃燒的　　熱情有限　　啊啊／太陽卻燃燒萬年」，這首和歌正如他的畫〈吾之道〉（1958 年）：一個人孤傲且自信地面對太陽。

　　何德來以台灣人定居日本，除台灣新竹的鄉情外，其領域有超越的企圖，而擺脫國族藩籬的限制，因而較多著重於日月星辰的描繪，跳脫現實，捕捉星空也有「兩地共嬋娟」的隱喻。他早期的〈新竹之夏〉（1933 年）和中期的〈故鄉的池畔秋色〉（1964 年）都是在異鄉的思鄉之作。在一首和歌則表現家鄉異鄉之間的無奈：「戰爭雖停熄　可憐的同胞卻永眠／於異國的土地不回來」。

人滿為患的地球　油彩畫布
1950　145x112 cm

蘭花　畫布油彩
1966　60x50 cm

台灣之夏：新竹　油畫木板
1933　24x33 cm

五十五首歌　畫布油彩
1964　130x194 cm

巨大的畫牆

　　落成啟用的立體停車場，高六層樓，兩落建築物的平面巨牆，成 120 度朝向馬路。不出租廣告看板，增加市政歲收，卻複製兩幅西洋畫，在畫幅的頂端，分別標明：米勒的拾穗，霍貝瑪的米德哈尼斯。

　　米勒的畫，眾人皆知。我仍整理相關資料：米勒（Jean Francois Millet, 1814~1875）是 19 世紀法國田園畫家；35 歲（1849 年）時，移居巴比松（Barbizon）村，上午到田園操作，下午畫畫，晚上與朋友聚會聊天；其畫風屬寫實派，亦被歸入巴比松畫派。代表作有〈拾穗〉、〈晚禱〉和〈播種者〉等。〈拾穗〉係 1857 年作品，尺寸 83.5 × 111 cm。至於霍貝瑪，以我對西洋美術史的膚淺常識而言，極需補白。

　　每回匆匆經過，瞧見該畫，就想要瞭解畫家何許人，一旦離開，隨即忘記。多次懊惱後，最近一次，馬上取紙記下，等著撥離「無知」的迷霧。

　　我先從郭文堉著的《西洋古典近代現代畫巨匠》著手，該書為藝術圖書公司「走入名畫世界」第 5 冊，很快在「古典卷」94 至 5 頁，見到「霍貝瑪」的介紹文字及三幅畫，包括米德哈尼斯。這幅畫全名是〈米德哈尼斯的村道〉（The Avenue at Middelharnis），尺寸為 75 × 10.5 cm，1689 年繪，

為其名作之一。Middelharnis （米德哈尼斯） 是一個城鎮或村莊？或許就是當時的「大都會」，也許僅僅路名而已。油畫裡，居中三分之一的布局，有兩列細而高挑的樹，樹幹挺直，梢端有成簇的密葉，行樹間，泥土路面，車轍跡紋清晰凸明，稍遠處，人影朦朧，右側紅色村舍旁，幾位婦女絮聒談話，左邊遠方教堂巍然，從遼遠地平線，湧出一整片灰藍天空，層疊厚重的白雲。由近逼遠透視技法的構圖，讓畫展現高深幽遠的全景。畫題中的 Avenue，依現代解釋是「林蔭大道」，如果簡單說成「村道」，似乎有差誤。或許在十七世紀末，這條道路是重要的聯結路線。

　　從簡介文字，得知霍貝瑪名字原文 Meindert Hobbema，1638~1709，順此，再從網路及其他訊息查得更多，且彩色列印此畫。「17 世紀小荷蘭畫派」之一的霍貝瑪，他這幅畫，雖然以路為名，一野鬱綠的人間田園風光，散發明朗和寧靜的氣氛。

　　將一幅三百多年前的西洋畫，大方地移置在這個東方城鎮，不知市政當局原本有何特殊意涵。是鼓勵市民接觸藝術？還是提升藝術鑑賞？抑或有心藉鄉村的平靜景象，對應此時代的我們，沉澱當前都會心靈的繁忙與擁擠？

　　如是再三沉思，我會回想到我們的畫家。當我「走尋台灣文學」的同時，自然也試著要「走尋台灣繪畫」。

　　　　——2004.03.16 初稿
　　　　——刊登《新台灣新聞周刊》428 期（2004.06.05.~11.）

補　記：

　　2004 年 9 月 6 日晚，路過舊地，已不見畫牆。新貼的二

丁掛白色磁磚片，黏上立體停車場名稱及市長大名。是否該
把這篇文章影印寄至市長辦公室或市民代表會主席，提出意
見反應？有些猶疑。

拾　穗　83.5 × 111 cm 1857
米勒（Jean Francois Millet,1814~1875）

The Avenue at Middelharnis
75 × 105 cm　1689
霍貝瑪（Meindert Hobbema, 1638~1709）

林中冥想者

1876

呆滯的眼神如何隱藏深沉的心機？

文學中，詩的隱喻力最強，其晦澀程度高，解說亦呈現多樣。繪畫的解說是否也有相同現象？

小說家與畫家同時代登上人生舞台，算是同台演出。就雙方角色互動言，大都是畫家幫小說家的著作插畫、繪圖，通常，也都由晚輩或後代執行。小說家在其著作裏提到同輩畫家的情形，文學史的記載似乎不多見。俄國小說家杜斯妥也夫斯基（Feodor Dostoevsky, 1821~1881）在其近乎遺著的《卡

拉馬助夫兄弟們》書中，提到同時期畫家柯拉姆斯闊伊的一幅畫《冥想者》。

　　杜斯妥也夫斯基對該幅畫的解讀是：「描繪冬日的林景，林中大道上，站著一個在深深的孤寂裡狂想的農人，他站在那裡，似正沉思，但他並不思索，卻在『冥想』。如果推他一下，他必抖索一下，望著你好像剛剛睡醒，一點也不明白。自然立刻就要醒過來，如問他站在那裏想什麼，那麼一定一點也不記得，一定要將在冥想時所得的印象，隱藏在自己心裏。這印象對於他是珍貴的，他一定不知不覺地積聚著，甚至一點也不意識到，一為了什麼，自然也不知道：也許忽然積聚了多年的印象，會拋棄一切，到耶路撒冷去修行，也許會把自己生養著的村莊縱火焚燒，也許會同時發生兩件事。普遍人裏面冥想者是很多的。司米爾加可夫一定就是這種冥想者之一，一定也在貪婪地積聚印象，幾乎自己也不知道為什麼緣故。」（《卡拉馬助夫兄弟們》第三卷好色之徒　第6章司米爾加可夫，桂冠版，頁145）。

　　讀完這段描述，才能明瞭杜斯妥也夫斯基將《冥想者》的畫中人，暗示書裡廚師司米爾加可夫的行為，他也是卡拉馬助夫三兄弟的不入門弟弟。

　　我好奇的想認識畫家及其畫作《冥想者》。

　　從有限的中文的畫家小傳、書刊、叢書，我找不到答案。依外文 Kramskoy 的線索，連光復版《大美百科全書》（1993年第4刷）亦無介紹條文。最後上網搜尋，赫然，誤打誤撞，撞出驚喜的火花。初步得知 Kramskoy，名字伊凡（Ivan），生卒年為 1837~1887，是19世紀後期俄羅斯巡迴展畫派主角之一，還有可以逐一瀏覽他的百幅畫作，自然很快見到《冥想

者》（Meditator）這幅 1876 年的畫作。

　　畫作裡，積雪不多的林中小徑，村夫（農夫）挺直站立中央，頭戴圓絨帽，未罩住的髮鬢垂遮耳朵，帽沿下兩眼炯大呆傻出神樣，稀落的鬍子中雙唇微張未緊合，兩手互插袖口取暖，環抱腹前，袖口交接處似由看不見的手挲著白色小布袋，木拐杖的彎鉤頭鉤掛左肘，及膝的舊長褂下，樹皮鞋的鞋帶纏繞長褲管，地面積著不厚的白雪。周圍濃密卻枯枝的灌木叢，搭配村夫的穿著，增濃暗鬱昏黃。上下輝映著晰亮的天空與白雪的小徑，並未改善整幅畫的色調，反而在暮靄或微曦的昏矓中呈現厚濁的鬱悶。村夫似乎在無比深沉的孤寂中迷了路，復因凍寒，看不出其模樣有「冥想」的狀態。

　　通常，冥想者不是坐姿，就是倚窗靠樹，有所憑藉，露出沉思出神狀，但畫中人直立路中。我一直揣摩畫題，卻捕捉不到這位冥想者的恍惚樣，以至體會不到畫題《冥想者》的真義。

　　回看小說，杜斯妥也夫斯基介紹畫作前，先敘述司米爾加可夫（也是該章標題），他是好色的地主費道爾·卡拉馬助夫與瘋女所生的私生子，目前留任家中廚師，卻罹患暈厥症（癲癇症），「他有時在屋內，或者在院子裏或街上，會止步凝想，甚至站立十分鐘之久。……這裏面既無思想，又無反省，卻有一種冥想。」

　　原來，冥想不等於反省，亦無思想成分。

　　1868 年末，杜斯妥也夫斯基開始構思《卡拉馬助夫兄弟們》，1878 年夏天起草，1979、80 年陸續在《俄羅斯前鋒報》連載，1881 年 1 月 28 日晚間 8 時半，杜斯妥也夫斯基猝逝後，才印製單行版。畫家柯拉姆斯闊伊完成這幅畫是在 1876

年。就時間點言，小說家與畫家的情誼不容懷疑，且還可以推想該畫給予小說家的深刻印象。

「司米爾加可夫的深藏心機，一定也在貪婪地積聚印象，幾乎自己也不知道為什麼緣故。」這是不是杜斯妥也夫斯基先入為主的觀念呢？

我還是存疑著：呆滯恍惚的眼神，如何隱藏深沉的心機？雖然司米爾加可夫是《卡拉馬助夫兄弟們》書裏的弒父兇手。八十萬字近千頁的《卡拉馬助夫兄弟們》巨著，評論者普遍強調法庭審理過程的一百餘頁，或者近二十頁的「大宗教裁判官」的描述，僅僅三百餘字輕描淡寫的畫作解說，絲毫不起眼。杜斯妥也夫斯基的安插，具有畫龍點睛的效果嗎？作者當然無法回答我這個問題。

跟這幅《冥想者》的同樣沉鬱氣氛的畫，畫家尚有 1873 年《托爾斯泰畫像》、1884 年的《無法安慰的哀傷》等，倒是 1872 年的《耶穌在曠野》感覺明朗多了。資料顯示，柯拉姆斯闊伊沒有留下杜斯妥也夫斯基的畫像。

英國作家勞倫斯（David Herbert Lawrence, 1885~1930）的一篇隨筆短文〈杜斯妥也夫斯基〉，開頭：「藝術是藝術家之意識與潛意識的自我見證。……在意識中，偉大的藝術家幾乎總是保守的、貴族氣的。但在他的潛意識中，他則要顛覆舊的秩序。」（黑馬譯文）。杜斯妥也夫斯基的幾部長篇小說，都在揭示人心黑暗面，「顛覆舊秩序」，因而贏得「人性剖析師」的稱號。

——刊登《台灣日報・17 版・台灣副刊》（2004.10.16.）

羅丹的手

大教堂（La Cathdrale , 1908）

　　當初見到這雙手的雕塑，立刻喜歡地剪下留存。印製第一本詩集《無語的春天》（1979 年）時，友人好意代為設計成「無雨的春天」，似雨的線條繁複且離題。念頭一轉，何不直接將「這雙手」當作封面圖案，單純了事。只要作者提供

建議，出版社倒沒有意見。就這樣，第一次向羅丹靠攏。

　　向羅丹靠攏，是否另有他因，很難加以探究了；此刻，提出文字說明原因，都屬事後的牽強。儘管如此，還是一直存疑著「手」跟標題〈大教堂〉與的關聯。

　　最早見識到羅丹的雕塑品，是在《笠》詩刊初期的封面及 1950 年代的刊物介紹，那是他最有名的〈沉思者〉。稍後，讀詩人吳瀛濤（1916~1971）詩集《瞑想詩集》，再度間接近羅丹。吳瀛濤的詩〈瞑想者〉是否因這件雕塑品興起的靈感，待考。其詩作起筆一節：「何其寂寞／瞑想的人／像一具化石／風雨彫塑了他的骨骼」，頗有將雕塑品文字化了，我曾在解讀此詩的文章裡，將二者做簡單連結。里爾克（1875~1926）這位對羅丹深懷敬意的詩人，按圖索驥，如此描述：「他坐著，若有所失，形體與思想都顯得何其沉重。他用全部的力量—行動者的力量—在沉思。他的整個軀體彷彿一個頭顱，全身脈管裡的血液則成了腦髓。」羅丹本人回顧這件作品，說他是從《神曲》作者但丁（Dante, 1261~1321）的影像獲得靈感，最初的設計為詩人的形像，隨後簡化後成了〈沉思者〉：「這是一位裸男，蹲坐岩上，雙腿弓起。單手握拳抵住下顎，他在沉思。繁複的思緒在腦中緩緩交織，他絕不是一個夢想者，而是創造者。我便是如此製作了我的雕像。」這裡，幾個觀鍵字詞：他在沉思（il songe）、夢想者（reveur）、創造者（crateur）。由此，雕塑品的中文標題「沉思者」一詞，似乎無法表明作品的本意。較合宜的譯名是〈思想者〉，甚或〈思想家〉。羅丹這件 1880 年作品，標題 Le Penseur，英譯 The Thinker，應該不僅僅單純的〈沉思者〉，而是正在沉思的〈思想家〉。

　　雖然活躍於 19 世紀末 20 世紀初，在藝術史上，奧古斯特‧羅丹 (Rodin, Auguste, 1840~1917)屬法國浪漫派的傑出雕刻家。相對於天賦型藝術家的梵谷，他是用功型的藝術家；一個賴潛力，一個靠努力。羅丹的著名雕塑品太多了。像巨構的〈地獄門〉（1880）、〈加來市民〉（1884）、〈巴爾札克〉（1897）、名人頭像的〈雨果頭像〉（1883）、〈巴爾札克頭像〉（1891）、〈波德萊爾頭像〉（1898）、小品的〈行走的人〉（1877）、〈夏娃〉（1881）、〈永恆的春天〉（1884）、〈吻〉（1886）、〈哀訴的女子〉（1900）……等。羅丹以「新雕塑形式創造者」自居，羅丹的雕刻藝術，表現出幾個特徵：（1）著重現時生活中新鮮的形象，躍動的生命力。（2）剃除整體，強調局部的刻劃，將表現的部分特別精細光亮，其餘者保留未經鑿刻的原樣。（3）側重抒情和剎那的動態，缺乏永恒凝定的造形。這就是他說的：「美，到處都有。對我的眼睛而言，不是缺少，而是發現美。」他就是努力地發現美、雕塑美；1882 年製作了一件〈我是美的〉（Je suis belle）。

　　他的所有肖像雕塑，都有「手」的姿態。由於局部雕塑的創作理念，羅丹單獨強調手的雕塑品，就製作了〈攫握的巨大右手〉（1885）、〈維松兩兄弟的左手〉（Main gauche de Pierre et Jacques de Wissant, 1886）、〈張開的右手掌〉、〈上帝之手〉（Le main de Dieu, 1898）、〈大教堂〉（La Cathdrale,1908）、〈從墳墓中伸出手〉（Main sortant de la tombe, 1914）等件。

　　回到取名〈大教堂〉（英譯 The Cathedral）的這雙手。相較於其他著名雕塑品，〈大教堂〉似乎較少被提及，顯得有

被忽略的感覺。它的精細、小巧與單純,彷彿非羅丹,不屬於雄渾、粗獷、野性的羅丹。

　　大教堂,法國境內到處見得到 la Cathdrale,這些大教堂都是哥特式(哥德式,Gothic)尖屋頂拱式中世紀後期的建築,最著名者,包括巴黎聖母院(Notre- Dame de Paris)、亞眠(Amiens)大教堂、夏特爾(Chartres)大教堂,及境外倫敦西敏寺、米蘭大教堂、紐約聖派屈克大教堂……等。所謂哥特式建築,原是 12 世紀之後改革羅馬教堂的宗教建築格局:減輕羅馬式的厚重,增加建築物的高度。這樣戲劇化強調尖頂建築,在當時被當做異端,等同於野蠻、落後和黑暗的「哥特人」(Goths),因而以此為名。哥特人屬日耳曼民族的一支,原居住歐陸北邊波羅的海附近,西元 3 世紀南遷,對羅馬帝國造成嚴重威脅。後世將此種族當做野蠻人、粗野人、文化破壞者。有「哥特式建築」名稱,後來,又衍生出「哥特式小說」(Gothic Novel)的名稱與流派,通常指 18 世紀後期 19 世紀初英國的通俗小說,也影響美國的愛倫坡(Edgar Allen Poe, 1809~1849)。故事背景大都發生在古堡、廢墟或荒野,情節充滿恐怖、兇殺、復仇、靈異、鬼怪,氣氛則陰森、神秘、懸疑。哥特式小說,以 1764 年瓦波爾(Horace Walpole, 1717~1797)的《奧特朗托堡》(The Castle of Otranto)為濫觴。名著中,承襲此技法者,包括艾米莉‧勃朗特(Emily Bront, 1818~1848)的《咆哮山莊》(Wuthering Heights, 1847),狄更斯(Charles Dickens, 1812~1870)的《遠大前程》(Great Expectations, 1861)……等。

　　扯遠了,再回到〈大教堂〉,仔細觀看,羅丹這件雕塑

品，不是「一雙手」，而是合併一起的兩隻右手。這樣，能算是合十祈禱的「一雙手」嗎？不是合十祈禱，但虔誠的模樣似乎依然。羅丹將之取名 La Cathdrale，蘊含什麼理由呢？是否意味著厚實的掌腕撐起纖細的手指，宛若哥特式建築高聳入雲的尖頂。1914 年，羅丹將他遊歷法國各地大教堂的素描插圖，出版《法國大教堂》（Les Cathdrales de France）乙書，書中，不時流露羅丹對這樣建築物的驚歎與神往。至於，為什麼是兩隻右手，而不是一雙正好對稱的左右手？兩隻合併的右手，有何象徵意義？只好留待後日進一步探討解決了。

——2004.09.

——刊登《青年日報‧10 版‧青年副刊》（2004.10.09.）

美的行腳，美的留影

──讀日本畫家《不破章水彩畫畫集》

「如何讓我遇見你，在我最美的時候。」這是自我期許，也是自信。更多的時候，應該是：「讓我遇見你，在你最美的時候」，或者「讓我的心底永遠內爍你的美」。「你」，不設定是說話者的對象，擴而大之，所處的空間，所見的視野，所履的土地，所親的家園，所愛的國土，都內爍與外閃美的光芒。誠如文豪川端康成（1899～1972）榮獲諾貝爾文學獎時（1968）的演講主題「我在美麗的日本」。

地理有多大，我們的感覺也應該多美。

日本畫家不破章先生，1901 年出生於東京，1979 年過世。生前，不破章先生是國際知名的水彩畫家，日本水彩畫畫會理事長。由於 1965 年的因緣際會，留學日本的沈國仁（以後為台灣藝術學院教授，現已退休）先生在東京上野美術館認識不破章先生，之後兩人訂交，不破章先生開始台灣寫生之旅的念頭。1969 年起到 1978 年十年間，不破章先生偕同妻子及畫友共八度到台灣寫生，每次返國，都舉行展覽，包括：宜蘭蔬菜展、高雄正月祭、新竹迎春、麗日平和公園等。也將這些畫作參加日展與日本水彩畫畫會展出，如：埔里山

街、埔里露天市場、台北後車站、旗山鎮街、員林街道、台
北農家等。1978 年第八度來台旅遊寫生時，在台北太極畫廊
舉行個展，受到台灣大學呂樸石教授的讚許，譽為繼石川欽
一郎（1871～1945）之後，「真正理解台灣景色的日本畫家」。

　　不破章先生喜愛旅行，訪歐兩次、西藏三次、到過美國
西岸和東南亞，卻獨鍾台灣，他的台灣行腳處遍及大城小鄉，
他的畫筆擷取台灣的綠色田園、鄉鎮街道、熱鬧市場、午後
街巷、寺廟、漁港、磚窯……等，整體而言，深入台灣民間，
表現台灣庶民生活的活力與能量。

　　不破章先生旅行獨厚台灣，往生後，由夫人不破久羅女
士將其花心血所繪的台灣畫作捐出，永遠保留在台灣。配合
展覽，頂新和德文教基金會精印出版《不破章水彩畫畫集》
畫冊，加上知名作家康原台語書寫的鄉土詩，每首詩兩段，
每段四行，簡潔明朗，共 50 幅畫，50 首八行詩；詩畫並賞，
是藝文界的佳音。

　　台灣社會發展快速，整個 1970 年代是轉型期，不破章
先生的畫正好將當時的台灣留下最真實的貌樣，彷彿歷史寫
真，比如〈22.板橋　1971〉，畫作呈現一大遍綠野將兩層樓
的房舍推擠至遠方。今日（距畫作三十年後）板橋已近六十
萬住民，除幾處公園綠地外，幾乎見不到田地了。搭配畫，
康原的詩是這樣：

板橋的田庄

板橋市外的　田庄
有真濟田園
庄頭的做穡人

毋驚田水冷霜霜

冬尾時
稻穗若反黃
一粒一粒的古亭畚
滿倉

　　詩是文字的描述，有作者的思維，但仍繞著畫的氛圍，
換句話說，詩與畫是同心圓。再舉〈50.員林萬年里　1978〉
為例，畫的近景仍是綠色田地（正確是菜園），緊挨菜園是房
舍及簡陋紅磚砌圍牆，隔條鄉道是右上角的樓房，鄉道兩側
豎立成排電線桿，兩名路人朝遠走去，右邊人穿著橘紅色上
衣。這樣的景光，台灣處處可見。畫題是畫家作畫地點。詩
人康原以畫為背景，取雙人偕行及作畫地點的萬年里，寫出
這樣的詩：

散　步

綠色的菜股
赤色的田土
田頭的厝宅
庄內有電火柱咧顧路

手牽手　行過林仔街
毋管是大風抑落雨
糖甘蜜甜的感情　鬥陣行過
萬年里　的　愛情路

　　原本平靜的一幅水彩畫，因詩人的「詩眼」，讓畫作增濃一份情意。畫家的畫意，詩人的詩情，兩人合作，使得這本書處處顯現詩情畫意。

　　這本畫冊，另有副標題：日本名畫家筆下的台灣風情。我們欣賞了不破章水彩畫裡流露平靜平實平凡的美學，也回味不久前台灣曾有與仍有的美景環境。閱讀康原的台語詩，領會台灣鄉土情，感染語言的親切。賞畫讀詩，在本這畫冊達到雙重效益：沐浴台灣風情的美麗與薰風。

　　傑出雕刻家法國羅丹 (Auguste Rodin ,1840～1917)說過：「美，到處都有。對我的眼睛而言，不是缺少，而是發現美。」有人說：「發現台灣之美。」其實，都不在發現，而是找回。較不破章先生稍晚的日本另一知名畫家東山魁夷(1908～1997)也說：尋覓日本美。不論發現或尋覓，美，以及台灣的美，原本就存在著，除非疏忽與矇蔽。

　　台灣是寶島，美麗的景觀需要彩筆錦上添花。畫家的筆，詩人的筆，都是人間彩筆。畫家不破章詩人康原兩位搭配形成樸實的留影，共同為台灣增添記憶之美和人文之美。

　　　　　　　　　　　　　　　（2006.01.31～ 2006.02.07.）

月　影

——題黃瑞元雕塑：月　影

這麼沉重的身軀
讓誰馱負？

足以掀動美麗潮汐的美麗身影
藉哪雙巧手的幻化之力
順利轉型？

明亮在上
暗影在下
能否進一步丈量出兩者的比例？
究竟是誰的巧手刻意安排？

原來在夜空挪移蓮步的美麗仙子
謫降凡間，異形地
接受人言的嘲諷

原來野性豪放的狩獵女神自願
化身馱獸，堅毅地
承擔現實的折騰

註：　希臘神話裡，阿特米絲（Artemis，羅馬
　　　神話名黛安娜Diana）是三位一體的女神：
　　　在天空，是月神沙崙（Selene）；在地面，
　　　是狩獵女神阿特米絲；在冥府，名為赫卡特
　　　（Hecate），主宰黑暗與死亡。

——2005.01.25.（二）
——收進《2005年木雕藝術創作采風展
——雕塑與詩的對話——作品集》2005.04.
——收進詩集《第一道曙光》2007.05.

慾望之旅

——題蔡志賢雕塑：慾望的旅程

無止盡的慾望朝奔何方？

猙獰突兀的勁力
彷彿暴雨氾濫
流竄荒野
任意旋轉即可覓得歸屬

追日的夸父渴死水邊
脫困飛往高天的伊卡羅爾折翼墜海
巴別塔一樣無法通天
遠遊四海的高僧
回到古刹圓寂

無止盡的慾望旅程終於鎖定原點
僵立成入定的老僧

　　　　　—— 2005.01.27.（四）
　　　　　——收進《2005年木雕藝術創作采風展
　　　　　——雕塑與詩的對話——作品集》2005.04.
　　　　　——收進詩集《第一道曙光》2007.05.

地板畫家的光環

人來人往的廣場
地板畫家展示才華
佔領一塊小空地
旁若無人地用彩色粉筆
繪製聖像
還眼瞄手揮地
排拒佇立的無酬觀眾

最後
在聖像上端
熟練地添加一輪光環
有光環的聖像
躺在地面
接受贊美與犒賞

陽光漸漸移動
教堂尖頂的投影
正好
刺穿光圈

模糊了虛位和虛榮

——2006.01.04.（三）
——刊登《笠》詩刊 252 期，2006.04.15.
——選入《森，林的家》（林家詩叢 01 號，
林煥彰主編），2006.10.
——收進詩集《第一道曙光》2007.05.

陳進畫展觀後喜降春雨

一場奢侈的視覺宴席
在無風無雨的寬敞大廳
饗請涖臨者

靜靜的婦女畫親子畫
平靜中安寧
無風無雨

嫻靜的女樂手彈奏安詳的曲子
在寂靜的大廳
引人豎耳聆聽

太豪華了
由不得消化否
一次狼吞虎嚥
這歡慶百壽的百幅名畫

室內　　無風無雨
愛熱鬧的烏雲觀眾也趕來

一場喜悅的春雨
在戶外　　饗賞大地
為赴日前的女畫家
淨旅

————2006.02.18.

————收進詩集《第一道曙光》2007.05.

電線桿列隊的家鄉

——題李梅樹〈家鄉的風景〉

（1920年代）

路有多長
電線桿就直立排隊多遠

素樸的電線桿引來光明
寧靜的家鄉進入文明

列隊的電線桿
讓外界看得到家鄉的路
欣賞到家鄉的美

——2006.07.24.
——刊登《笠》詩刊255期，2006.10.15.
——收進詩集《第一道曙光》2007.05.

河海交匯

——題李梅樹〈淡水港〉

（1930年代）

天空
罩著灰白相間的厚雲層
遠處海水淺藍，浪濤微微起伏

港內
安靜
幾艘船靜靜浮動

更多的都到遠方去

　　　　——2006.07.24.
　　　　——刊登《文學台灣》61期，2007.01.15.
　　　　——收進詩集《第一道曙光》2007.05.

落　葉

——題李梅樹〈拾落葉的童年〉

（1934）

滿地落葉，撿取一片
攤放掌上
留存家鄉的記憶

童年無知卻稚樸
落葉無奈仍有情

落葉聚集的位置
是流浪的起點

落葉飄散的方向

是成長的足迹

——2006.07.08.

——刊登《笠》詩刊255期，2006.10.15.

——收進詩集《第一道曙光》2007.05.

濤　聲

——　海　景（1938）

不懈的生命在聳立的黑岩間
衝撞　迴流

奔騰的生命永遠奮力邁向
前方

聽！震耳隆隆的濤聲
聽！澎湃激盪的心聲

——2006.07.09.（日）
——刊登《笠》詩刊 255 期，2006.10.15.
——收進詩集《第一道曙光》2007.05.

迎　風

—— 題邱泰洋銅雕〈春之風帆〉

風使勁地吹
布帆鼓脹似犁田中的猛牛
勇邁筆直，我們的船
劃破透明的海鏡

還不時朝前瞻望
將跳躍的心拋向遠方
當餌，捲起千浪

風使勁地吹，不寒
我們的船，不小
飽滿的帆迎接春天
春天的風熨平我們的海

海面一片墨綠
回答天空
映照我們無垠的希望

—— 2008.02.13
—— 收進詩集《走入春雨》2011.11.

揮別「諾亞」之名

——題黃當喜方舟系列：融合

舟小
依然航行五湖四海
歷盡滄桑
博得眾人淚水

曾經的衝浪、顛簸、浮沉
席捲、撞擊
全都止息了

此刻
流連綠原
覓得新生地
揮別「諾亞」之名
靜靜停泊依靠
落籍為安
流浪　不再
流亡　永不

——收進《2008雕塑與詩的對話，》（苗栗縣
　文化局565，2008年7月）頁50
——刊登《新地文學》季刊第6期，2008年12月
——收進詩集《走入春雨》2011.11.

人生三元素

——題黃明鍾銅雕〈真善美〉

該頌揚真善美
人生三元素！

三元素！
可以三等分？
可以切割三階段？
讓每階段各擁一片天？

真善美三元素的三位一體！
均衡、和諧、圓融的人生三元素
真情、善心、美學的人生三元素

——收進《2008 雕塑與詩的對話》（苗栗縣
　　文化局 565，2008 年 7 月）頁 66
——收進詩集《走入春雨》2011.11.

綠　意

——題江石德雕刻〈新生命〉

有挺直
有彎曲

挺直的是理想的再堅定
彎曲的是挫折中不死種子

有萎黃
有綠意

萎黃的是不愉快的過去
綠意的是充滿期待的你

　　　2008.02.13.
　——刊登《笠》264 期　2008.04.15.
　——收進《2008 雕塑與詩的對話,》（苗栗縣
　　　文化局 565，2008 年 7 月）頁 71
　——刊登《新地文學》季刊第 6 期，2008 年 12 月
　——收進詩集《走入春雨》2011.11.

荒蕪藏生機

—— 題潘文凱雕刻〈荒蕪・七〉

鏽蝕的圓筒早已褪去光潤
落井下石有之
雪上加霜不少
路客更隨手丟棄骯髒物

誰在乎一團雜亂荒蕪？

仍佔領空間的枯枝
堅持挺立著
春來
生機露見

2008.02.13.

——刊登《笠》264 期　2008.04.15.
——收進《2008 雕塑與詩的對話,》
　　（苗栗縣文化局 565，2008 年 7 月）頁 79
——刊登《新地文學》季刊第 6 期，2008 年 12 月
——收進詩集《走入春雨》2011.11.

風之果

——題李文武木雕〈峰〉

誰的靈視
看清楚風的姿態？
誰有能耐
捕捉到風的貌樣？

風動風止
都觸及每個人的末梢神經

無從想像，風的催媒
竟然變形成粒粒松果

見識了粒粒的飽滿
托放掌上　挪近耳邊
竟然聆聽了林間呼喚心靈的
簌簌的松濤

——2009.01.13
——收進《2009　雕塑與詩的對話》（苗栗縣
　文化局 619，2009.08.）
——收進詩集《走入春雨》2011.11.

存　在

——題希悟給木雕〈宇宙〉

存在的個體
如何求取證明？
必要否？

圓潤不算圓滑，是自在的適性
缺口並非缺陷，是期許的窗牖
委婉的韌度哪是委曲！

我的存在自身俱足
不得忽視！

個體存在
豈容他者的證明！

——2009.01.13
——收進《2009　雕塑與詩的對話》
（苗栗縣文化局 619，2009.08.）
——收進詩集《走入春雨》2011.11.

高原馬

──題王慶民 F.R.P.〈高原〉

抖落塵土　回歸本相
吐吐氣
安份地生活

處處平凡的現實
不再允許英雄露臉

都歸夢裡
馳騁的英姿　閃迅的俊俏
不再有誰感念你的功績

脫離戰場
你累了嗎？
誰讓你垂下頭來？

失去戰場
英雄會夢醒？

塵埃落定　軍士還鄉
廣袤的草原恢復本相

　　　　──2009.01.13
　　　　──收進《2009　雕塑與詩的對話》
　　　　　（苗栗縣文化局 619，2009.08.）
　　　　──收進詩集《走入春雨》2011.11.

挑　情

——題王慶民銅雕〈取悅〉

你有摯情　我有鬥志
我們活在彼此對望的勾引

再危險的動作
只為挑你的情
療我的慾
進行完美的銷魂蝕骨

願以一生的愛
搏取你一時的好感

你是我的禁臠
我是你的俘虜

——2009.01.13
——收進《2009　雕塑與詩的對話》
　（苗栗縣文化局 619，2009.08.）
——收進詩集《走入春雨》2011.11.

永恆的槍響

——致畫家陳澄波（1895～1947）

槍聲劃破街頭
車站廣場留下永恆的印記
沾染血腥的圍觀眾人
寒噤

早春的太陽，冷冷觀看
不能有淚的家屬
抬走不再溫暖的軀體

嚎啕
留在深夜裡
留在絕筆畫〈玉山積雪〉

——2006.06.

——收進詩集《第一道曙光》2007.05.

躍出混沌

——題畫家陳澄波（1895～1947）的

〈雲海〉（1935）

全然闃寂的黝暗裡
混混沌沌　色澤猶未誕生
生命正緩緩孕育

畫家　肩負使命
醞釀顏彩　調理構思
鎮日沉思玄想
如何掙脫古舊思維的窠臼

忍受煎熬折騰
終於　靈犀乍現
豁然開朗

英姿煥發的畫家
瞬即下令　所有的海　靜止
全都湧上群峰之間

奔騰的顏料迅捷追逐黏牢

極遠處陽光燦然
浪花觸天
眾樹立正峰頂
歡呼海上歸來的勝利

（2013.07.22.）

陳澄波（1895～1947）的〈雲海〉（1935）

春天ê百合

——詩贈畫家歐陽文先生

三月是哀傷ê季節
見證血跡

有記憶ê血跡.
是放袂掉ê苦難

時間閣久長
傷痕tī咱ê心肝頭永遠袂結出粒仔跡（瘡疤）

每年三月，攏看得到
kui山頭純白ê百合

苦難留tī土地ê深層
開出一大片咱期待ê平和ê春天

——2010.01.24.　04.10.增修
——刊登《笠》詩刊第277期，2010.06.15.
——收進台語詩集《春天 ê 百合》2011.07.

車站變／染色

──讀李欽賢ê畫〈嘉義火車站的表情〉三聯作

無同款ê時代
車站會自動選擇伊ê色彩

紅色ê車站
畫家陳澄波 tī　廣場眾人面前被槍殺
流出來ê血
染到 kui　片紅 kih kih

藍色ê車站（其實是恐怖ê白色）
大家攏 m 敢出聲
尤其亂講話
大家攏變成 bōe-hiáu 講話
車站 kā　é-kháu 同一ê模樣

綠色ê車站
甘是咱恰意ê選擇？
bû-kò 無親像「翠綠長青」
單單一目睨仔
就消失去

如果是恰意ê色彩
咱是 m̄是愛將伊永遠留 leh
　　　　　　　（2010.08.25.）
　　──刊登《首都詩報》第 6 期（2010.09.15.）第 4 版
　　── 收進台語詩集《春天 ê 百合》2011.07.

揭除魅影

——在岩頂咖啡初晤畫家陳武鎮

畫家走出泰源
常常懷想河谷的苦難夥伴

遭劫受刑的悲慟肖像
緊貼畫家的內心
時時絞滾

離開泰源的畫家
離不開控訴的彩筆

拳握般的筆勁
撞碎這個時代的邪惡卑劣
撕裂陰險者的偽善面具

（2012.12.26.）

——刊登《鹽分地帶文學》第 45 期　2013.0430.
—— 收進詩集《陽光與暗影》2014.10.

島嶼紀事

——予畫家武鎮

島嶼有講 bē 完ê故事
故事包含著先人誠濟ê哀怨
哀怨ê事件留 tī 咱ê記持
用歷史冊本傳教後代

島嶼　猶原有誠濟美麗ê景緻
邀請精彩ê畫筆
將海洋、山嶺、平原、田園種種
放入畫框內，予咱忍 bē-tiâu　ê感動

畫家認真行踏島嶼ê土地
深入每一寸伊愜意ê 停留點
封鎖奇麗ê色致 kap 清芳

封鎖島嶼ê今仔日
將壯觀ê海垺高山、安靜ê庄腳田園
留予代代子孫清新ê印記 kia 貌樣

（2013.01.31.）
——刊登《文學台灣》第 87 期秋季號 2013.07.15.
—— 收進詩集《陽光與暗影》2014.10.

生命讚歌

——詩贈雕塑家張子隆教授

生命來自子宮
肥臀包裹

傳達渾圓滑膩豐沛的訊息
展示女體美
讚頌生命

護持下半身
暱稱美臀藝術家
與哥倫比亞波特羅 Fernando Botero 並坐

2016.09.

【月曆詩】

七　月

——題謝明錕畫〈瓜瓞連連〉

誰說入夏蟬更噪？
我來瓜棚下參訪靜寂

一只青春懸垂
近旁的乾癟，無言
急待閃離
而藤蔓乾葉串聯拓展兇煞

非枯
不能枯

這是墨綠的仲夏
最衝最糾葛的活動季節
沒有萎頓
就是要瓜瓞連連

　　　　　　—— 2016.12.31.
　　　　　　——刊《華文現代詩》第 12 期 2017.02

十一月

——題藍榮賢畫〈古城月〉

流星甩脫軌道自覓歇處去
留下歲將暮的夜空
斑剝卻燦亮

斑剝的
瞧得見一路走來的痕跡
燦亮的
是永恆意念的熱誠

有雲相伴
月，依然豐盈鑑照
人間不老

——2016.12.31.

——刊《華文現代詩》第 12 期 2017.02

河畔白楊

──莫　內

白楊樹整齊

成排

把影子投入腳邊河水

更緊緊依戀

最親切得的土地

2016.07.18.

圓　點

——米　羅

晨
日之辰
是初升的太陽
實心圓

圓點
大圓或小圓
不只圓不只點
走出去
延伸成線，直線
歪線曲線斜線邪線諧線

點
一啓動
難以扼止
有時短程
更多無止延伸

從學會走路起
每個人都可以是傑出的
Miro

2016.07.23.

輯三、台灣篇

先行者典範

——倪蔣懷（1894～1943）

藝術的愛好者
不忘用心
贏得水彩畫第一人

到戶外寫生兼散心
留住當下各地的美好麗景
本願持續
師願遵循

辦研究所
激勵眾人上進
購買畫作
積極籌辦美術館

藝術家盡力創作
也依賴企業界
愛藝術的企業家有最合宜的推手

2017.05.07.

水牛群像

——黃土水（1895～1930）

憨厚單純簡省
從木雕開始
台灣最早的傑出雕刻師
「山童吹笛」、「甘露水」
建立「雕塑家」的名號

短暫的人生
坎坷的藝評名聲
來不及加入台灣美術成長期
隱身之餘
再受新朝政府的壓抑

重新出土
最愛台灣水牛
水牛牧童烏秋
群唱土地的牧歌

2017.03.02.

永不瞑目

——陳澄波（1895～1947）

暴力無所不在
無孔不入

最認真的台灣美術學生
日正當中的繪畫成績
不相信災難臨頭
我熱愛的國家人士狠心槍殺
我的血
只流在自己的土地

槍斃的是我的亡身
我的畫
在日本在台灣在中國的寫生
沒有誰能槍斃
未見到和平
永不瞑目

2017.02.01.

錯身革命

——王白淵（1902～1965）

安靜的青年鄉村教師
不安定的憂鬱畫魂
嚮往密列（米勒）的農村田園
標誌「台灣的密列」宏願
越洋北渡到東京學藝

北方師校的美術教諭
詩興與愛情同時萌滋
彼此攜手
乍現的得意春風
見證並澆灌文學《棘の道》

追隨泰戈爾探求靈魂之鄉
移動了不確定的國籍
導致革命者
下場竟比生の棘道還坎坷

2017.02.03.

奔放色彩

——廖繼春（1902～1976）

〈芭蕉の庭〉奠下畫家名器

「我不會講話，我用畫來說我的話。」
我是奔放的野獸
小小畫布拘禁不了我
世界輕鬆容納進來
也在畫布盡心拓展我的世紀

我的世紀繽紛
我的色彩魔法
顏料任我玩弄操控

走過外光派野獸派抽象畫
一彎濃豔亮麗鮮明的彩虹
靜靜留在天邊
隱約內斂卻豐富，平淡且華美

「粉色的春景由我傳繼」

2017.03.05.

藝壇多棲

——顏水龍（1903～1997）

到東京
到巴黎學藝
體驗藝術在生活美學的位置

相同的花
梵谷的向日葵
太陽堂的太陽花
一樣也不一樣

馬賽克藝術的工藝
美學了日常生活

紅頭嶼的眷戀
完美的等日頭
美麗的日出喚醒台灣意識

藝壇多棲多妻
豔享生活的彩圖

2017.05.09.

家鄉異鄉

——何德來（1904～1986）

體制外的自立學習者
不求名利純藝術的畫伯成就者
心中有顆主宰畫旨的太陽
不墜

一生熱愛家鄉
旅日未忘情台灣
在異鄉作畫畫留家鄉

一生忠於妻子
親自照顧
完成《吾の道》感念之

一生忠於畫
畫家鄉解鄉愁
畫愛與和平
對未來寄予期待

2017.02.17.

旗手彗星

——陳植棋（1906～1931）

殖民地的叛逆者
學潮下的悲劇學生
轉身
繪製家鄉的溫和風景

甩脫外光派的學院巢窠
追索野獸的闊氣色彩
作品參展
樹立個人成績與典範

任俠豪邁領袖氣質
提攜後輩照顧友朋
籌組畫會
帶領新勢力
熱血的憤怒青年
變裝為島嶼繪畫的旗手

2017.02.20.

哲人嚴謹

——李石樵（1908～1995）

起跑點輸了
無關緊要
懂得急起直追

堅守求新求變嚴謹
寫實抽象皆遊刃有餘
肯定：畫家生涯如萬米賽程最終回

〈市場口〉的群像寫實
直顯社會鏡像
〈三美圖〉再掀藝術情色話題
躺姿裸女亦然

隱藏版的〈大將軍〉最有看頭
肖像面目猙獰奇醜
現實的天平
一代畫壇宗師冷對一代握權者

2017.05.12.

畫詩同步

——張建墻（1911～1992）

在水邊寫生
聽潺潺吟詩
生命長持流動
是早慧畫家　是憂鬱文青

憂鬱文青
在文字迷宮打鑽
用一輩子
堆積赤道與陽光的連結

水邊山麓果園小徑
浪漫的心境
故里的情懷
年少之作也可以是佳作
聽不盡浪濤一再呼喚
澎湃心力終止於〈海洋夕照〉

2017.05.25.

迷戀人體

──蒲添生（1912～1996）

繪畫世家的遺傳
驚豔人體美的誘引
瞬間閃轉入塑造之途
追隨朝倉文夫，上溯及羅丹
無悔，無以回頭

〈春之光〉迴旋的動態美展露鋒芒
一代雕刻泰斗海納百川
官方人物政商要人家屬市井小民
齊聚一堂
連蔣介石吳鳳都承受其妙手的揉捏

代表沉思者的文學家〈詩人〉
日正當中的青春〈陽光〉
健與力的〈運動員〉系列
都散發自由氛圍下的傑出創作

2017.03.01.

炭坑亮光

——洪瑞麟（1912～1996 ）

深入地底的爬行獸
明知危險
冒進危險
臉孔越來越黝黑
連太陽都開懷卸責

百年來
贏得獨一的青睞
又是親膩畫像
又是對話速寫
還要頌讚
勞動者粗獷的靈魂
吐納的真善美

是人性剛毅的光芒
閃爍在無盡漆黑的炭坑裡

2017.05.05.

山來就我

——呂基正（1914～1990）

山不動
我來登攀
山不靠我　　我就山
虔誠地把一座座移入畫布
朝夕相望記憶

遊走廈門神戶台北三地的青年畫家
選擇台灣百岳　框為心靈棲地
連北國的富士山一併

峰巒疊障　獨立主峰
蜿蜒隱密　見不到路
見不到散逸的礫石

整抹鬱黑中顯現的赭黃
墨綠裡突出的微黃
或者全然層次分明的亮麗

2017.05.04.

藝術火球

——張義雄（1914～2016）

「無露水春花猶原要開要 suí」
在底層克難刻苦中熬煉
補雨傘鳥仔店以及街頭勞動者
都是親切的寫照

堅持「我要當畫家」的信念
支撐一輩子不離開彩筆
直到躺下過世

浪人性格到處飄泊
徘徊藝術之都揮毫贏得榮耀
推自己登往生命巔峰

最愛卓別林式的小丑
傳播歡樂予世人
渾身藝術細胞的火球
終將在世界舞台璀璨發光

2017.02.16.

祭獻美神

——鄭世璠（1915～2006）

藝術使徒攜浪漫的詩魂
恣意地親密畫壇遊走人生
時時召喚美
時時探掘詩情

在後巷老街舊路古厝戰後街頭廢墟漫晃
尋找記憶
邂逅尤特里羅的背影

夜星帆檣彼此牽膩
無非就是轉身離去的
另一種悠閒

是蕃　是開心菓

內心深埋難遣的感懷
曾經存在卻消隱
已經流入畫布裡那些不滅的美

2017.05.03.

雕塑人生

——陳夏雨（1917～2000）

瑣事交給女人
我專心服侍雕刻
女人
曾是我的模特兒
她的美與青春都成了藝術品

要茶有茶
要咖啡有咖啡
更少不了的酒
跌入現實生活的殘廢者

雕塑藝術戰場的勇士
搶日頭不浪費時間
抓住神韻展示魄力
讓不動的作品注視你的移位
讓靜止的雕像撞沉你的視覺

2017.04.23.

絕美羅曼

——許武勇（1920～2016）

鹽月桃甫的入室弟子
自闢蹊徑
崇信藝術長流
追求超越時空不受限的永恆
絕美出現了

走出迷惘的十字路
在田園農村獲得短暫的歇息

〈離別〉之后
不在意能否重逢卻暗地期盼
為了〈死不瞑目〉

一邊拿聽筒看診一邊執畫刀
繪製留有美女飄逸的空間詩想
傳達非人間烏托邦的仙境
仙境即心境

2017.05.01.

彩虹寂寞

——金潤作（1922～1983）

年少得意順風客
毅然甩掉名利的虛幻霞光
擺脫寫實　求超越
率真純美的浪漫情懷
內心藏有一彎彩虹

向立體野獸派靠攏
再跨入現代領域
恆是探索恆為求新
堅守孤絕
鍾愛玫瑰百合
執著於獨特的藍綠色塊與暈黃日月

待彩虹出現
躺臥創作畫堆
掩埋隱逸長年的寂寞

2017.02.11.

百合新生

——歐陽文（1924～2012）

受困，不忘熱誠
抵抗，有建構個人的美學

只有濤聲可聽的小島
南台灣遺世族群
揉合文明良心犯和純樸居民
規規矩矩的生活
暗藏拍攝的底片
是唯一的專業娛樂

在碉堡上，鐵絲網邊角
在海水圍困的島沿
在我們的心中
遍植百合
是我們潛藏的意志和希望
誓言抵抗死滅和沉寂

2017.02.09.

與時並進

——郭東榮（1927～　）

小時了了
大更佳

「師大化妝晚會」後啓程變與新
五月畫會再一次跨前

自我為必然的圓心
穩重的基點
幅射出去的微漣
折射返回的曲光
都是學習茁長壯強成熟

時而具象時而抽象
世界在變地球不曾停止
無形的錦繩
概由我
牽繫

2017.06.23.

美的巡狩

——黃靈芝（1928～2016）

名士的排場
俳句雕刻小說蘭花枴杖
單眼雙眼古董望眼鏡
物戀收藏癖巡狩美
獨鍾桌上型小巧雕刻

雕刻品似的字句精鏤小說〈蟹〉
拔得戰後文學名聲
大隱隱於市
築屋於山麓眺望城市

視虛名如草如浮雲
歡喜回到俳句的故鄉
兼推動台灣俳句
組群合評日文俳句
悠遊於小小文字的雕刻

2017.05.02.

自提頭顱

——吳耀忠（1937～1987）

仰慕追隨 REPIN 列賓
人道關懷的理想者
現實主義的左翼份子
自提頭顱往前行的革命家

1968 年遠行七載後
壯志蒿萊
遠景幻滅虛無浮升
儘管才情仍在才藝仍展
因酒侵蝕
為壯膽讓酒擴大版圖

失意畫家
墮落的酒の靈魂
萎靡在自棄的烏托邦
已經沒有革命沒有畫筆

2017.02.22.

亮燦彩虹

──侯錦郎（1937～2008）

巴黎是新家園
辛苦鋪設經營的學術道路
正坦途順利亮燦
一場重病阻隔往前
巴黎是傷心地

傷心地　　仍有彩虹
擱置的畫筆曾經荒廢
彩亮依舊

遠方 Formosa 的舊家園
逐漸從深埋的記憶
一一浮出
重整　建構
生命榮光的再現
因畫

2017.05.30.

美女無言

——潘朝森（1938～　）

畫家不沉默
為家鄉女細心圓説
低頭　　含蓄害羞認真
斂眉　　謙虛卑讓不傲
美女無嘴
不演三姑六婆七嘴八舌
如貓安靜　　勤事嫻淑

都是至愛的女子
幫她們藏匿歲月凍結年齡
永遠的少女
常駐的青春
一副相同的臉龐身材
或立或坐或臥躺
由異樣的的彩妝服飾調理

2017.06.23.

召喚孤寂

——盛正德（1945～　）

午夜的執刑者不眠
頻頻召喚
為畫布覓尋呼吸
替顏料安頓燥鬱

崇慕礫石頑性
孤立的靈魂孤單的影子
讓深厚幽藍色澤烘託

拒斥玫瑰
任花草的粉彩
在心中恣意野生蔓拓

守住孤寂
獨享
一個人的村莊
整座碧空的懿熠星光

　　註：畫家嘗言：「夜裡召喚孤寂，杜鵑啼叫晨曦。」

鉅細靡遺

——施並錫（1947～　）

涓涓的，是我
澎湃的，是我
大河小溪終入海
海的波瀾壯闊納入畫框
框裡框外留置家鄉的位置

二二八亡靈化為四七社的菁英
街頭鎮暴景觀見證真相
比他們更要兇惡
更要抑壓對方
巨幅屠殺畫徹底揭示歷史面貌

浪濤天的氣勢
回歸平和
流動的水柔溢滿胸襟
展露大地畫家的尊貴容顏

2017.06.18.

黑牢白冤

──陳武鎮（1949～　）

沒有進入礦坑
如何採得燃亮照明的煤
衝破黑牢
需要人權與畫家的火把

牢獄暗影
化作虛擬巨惡
更多邪惡幫手的爪與牙
等候現形贖罪
判決下令「此人可槍決」的掌權者
亦被歷史槍決

畫家刻痕的眾多名字
春風吹拂
迴蕩在島嶼的領空
徒顯無奈的歔欷

2017.02.19.

璀璨釉惑

——林興華（1953～　）

青春時
有意識的瘋狂寫詩出詩集
享受成名趁年少
無意識的繪畫任由
筆尖滑行
接納前衛洗禮同等瘋狂

成熟中年
畫繼續
筆併進燿亮
文字轉為勁揚誘惑力

從極簡曲線
進化有意識的瓷繪
揉合水墨彩墨，律動出
心之華的璀璨榮光

2017.05.30.

玫瑰自戀

——黃騰輝（1959～　）

從 B612 小行星移植內心
一株不凋的玫瑰花
再繁殖再拓生
散播各處
傳印自己的身影

有愛
荊棘消失
單見熊熊烈焰不熄
隨時綻開幸福奔放色彩

忘情又癡戀
激情卻專注

獨一無二的玫瑰花
化身夜空每一顆亮麗的星子
都是小王子的心血澆灌

2017.02.17.

礫石聽話

——侯俊明（1963～ ）

藝術家的性格
成就了石頭和樂園

六腳怪胎親近揉捏各種物體
撫摸礫石聽其吼叫
亦讓眾岩石彼此交談

凌駕驚世駭浪
衝撞禁忌直抒情慾
批判偽善

既放肆也內斂
在曼陀羅的圈地內
任何方向都有前進的動力

石頭迸出的潑猴
歸錮禁山
人禁自不禁

2017.05.18.

輯四、台灣女畫家

嫻靜雅情

——陳　進（1907～1998）

小女子隻身到東京習畫
畫不實際的畫
還跟大師鏑木清方學習畫美人
並與男人平起平坐

1927 年台展三少年的風采
年少得志
志在四方
持續跨世紀的嫻靜雅情

嫻靜的是
側臥眠床的悠閒
流露婉約的體豔

雅情的是
一長簫一琵琶共同演出的協奏
散發芬芳的王者牡丹香

2017.01.31.

香芬豔光

——張淑美（1938～ ）

花是女人的前生
女人是花的今生

長髮黑眼珠女子
一顰一笑一思一倚一聽
一嗅一浴一蟄一夢一憩
無不牽動遐想
無不百媚萌生
莫非香魂崇扯

長髮黑眼珠女子
裸露美妙胴體細腰
彩衣粉飾上身
群花綴纏撲伴
一襲印象派朦朧罩衫
香芬簇擁的勝利花神

2017.01.30.

金色花徑

——王美幸（1944～　）

愛花的女人
買花
種花
藏花
畫花

畫花的女人
撫觸過的玻璃映射花色
走過的路散發芬芳
自身光影流動
柔美繽紛

繽紛的女人
惜花
為花築徑
鋪造一條專屬的顏彩香路

2017.01.26.

花拈指間

——嚴明惠（1956～ ）

手持解剖刀
拆構人體重新細緻縫合
依畫家的新思維

不信不理花的哀叫
全踩在腳下
僅讓貓與蘋果貼近
那只美神 Aphrodite 贏來的金蘋果

一方面揭示女體女陰乳房
向男權沙文宣示平衡平等
另一方面苛責卡蜜兒臣服羅丹的光芒
自己埋沒才華

蓮霧玫瑰，曾經是暫時
心本沉靜
素手拈蓮花終歸佛慈

2017.01.30.

陰性空間

——謝鴻均（1961～　　）

有這個空間存在嗎？
誰規劃？能預期？
最終會是撥雲見日的朗朗
抑混沌未明照舊？

淨空腦海
腹肚內一小點的萌動
自主的線形逐漸成為前導的趨力
企圖剝離混混瀝瀝

雖有主體意識
曖昧且混沌的奔逐
仍非自體掌控
只能演繹
小小生命在母體的孕育誕生
等同藝術品創作的萃煉歷程

2017.01.31.

戀花喜詠

——陳香吟（1962～ ）

相信詩人的金句名言：
愛情與生命會亡
唯青春美與形體永駐。　　　（註1.）
人生真的苦短，藝術必然長存。
埋首專心經營：
畫花，保存鮮豔及綻放
繪人，留住優雅與英姿。

一抹陽光普照綠森林
朦朧的〈牧神的午後〉連結了詩和音樂。（註2.）
精選巴嘉泰 Bagatelle 公園的玫瑰園
揭露少為人知的美與靜。
父女對繪、名人、政治家等無端興緻的肖像畫。
許多花都藏入錦囊，都是首戀
最鍾愛名媛牡丹的高貴典麗。

註：1.法國波德萊爾〈腐屍〉乙詩裡的隱喻。
　　2.〈牧神的午後〉為詩人馬拉美的詩題，音樂家杜步希
　　　作曲〈牧神的的午後序曲〉。陳香吟也繪製之。

2017.01.31.

輯五、域外篇

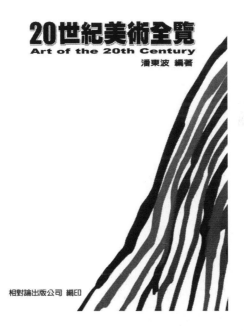

靜謐的光

——維梅爾（Johannes Vermeer, 1632～1675）

有光，讓畫布閃亮

從窗外透進來
明亮情人捎來的信牋
委委怡和
不宜他人分享

月光下，織女用心
神態柔靜，手藝巧膩

女僕或女主人、軍官、藝術家
都是活現的台夫特之光

珍珠耳墜子唯尊的光點
倩美女子無心挑起
風暴終止於
藝術本然

光在內心因愛而蘊而凝燦

2017.02.08.

玫瑰百合體

──雷杜德（Pierre-Joseph Redoute, 1759～1840）

怎麼可以疏忽雷杜德？
承襲世代家傳的畫業
專職製圖師、植物插畫
約瑟芬皇后委信的宮廷畫師

在世局動蕩政權更迭的年代
他專職畫花
畫玫瑰畫百合
最浪漫的花卉
源自最嚴格的學術與科學的
最認真的勞作

花如人，神采各異
《玫瑰圖譜》、《百合圖譜》流芳後世
感念花之拉斐爾
人人都自由在奢華的莊園遊賞

2017.05.11.

浮世奇才

——葛飾北齋（1760～1849）

山恆在
畫家彩筆旋轉 360 度
攝取《富嶽三十六景》流傳 180 年！

〈神奈川沖浪裡〉衝出東方扶桑小島
往西踏進花都
掀動青春印象派
回流入東京外光派

習畫至五十歲才獲小名
七十成大師
另創門號
跨足漫畫

是藝術必風流必染色
〈蛸と海女〉激蕩歇斯底里的喜悅
照樣席捲歐陸

2017.05.13.

奢華洛可可

——華　鐸（Jean-Antoine Watteau, 1684-1721）

不安定的人類催促
戀人們奔往維納斯島
安頓情愛的歸屬

畫家精心繪製〈登陸希垤島〉
供朝聖供許願
安頓急燥
安頓漂泊
安頓遊移

華服的戀人們膜拜愛神後
攜手登船
離開誓約地
還需要紅線牽繫嗎？

一幅畫啓發波德萊爾〈希垤之旅〉重新詮釋
連晚到的沙曼忍不住詠詩讚嘆

註 1. 波德萊爾（Baudelaire, 1821～1867）詩集《惡之華》
　　　裡有長詩〈希垤之旅〉。
　　2. 沙曼（Albert Samain, 1858～1900），法國後期象徵派
　　　詩人，詩集內詠讚多位音樂家與畫家，包括華鐸。

農民英雄

——米　勒（Jean-François Millet,1814～1875）

來自農村熱愛農村牽繫農村揮筆擁抱農村
不屈不撓的藝術界農民英雄

站在巴比松的廣袤大地上
親身聞嗅土壤的氣味
一顆高貴的良心
時時接近綑草者敲石匠
播種曬草扛鋤
這些共同呼吸一起操作的生活同伴

教堂晚鐘敲響
虔誠默禱純屬本份
聖潔的旋律誰不感動？
撿拾麥粒
求取較多收穫的簡樸
一顆平靜平實誠摯的靈魂

2017.03.09.

隱身革命

——馬　奈（Edouard Manet ,1832～1883）

有革命領袖氣質
不願加入革命隊列
年輕輩左拉兩次的極力辯護相挺
鋒猛雄師更加無所畏懼

鄰家人的草地午餐女郎
當前休閒的生活夥伴
橫臥的奧林匹亞
何嘗不是人贊人誇美女維納斯
畫，哪需掩飾自己情緒的感受

感恩回贈的〈左拉像〉畫幅
傳遞作家與畫家親密的革命情誼
肖像被當代藝術氣氛及閱讀風氣包圍
隱藏著灑播種籽後轉身的
革命者身影

2017.03.22.

揭旗革命

——克拉姆斯柯依（1837～1887）

頂立權勢者的對面
戳破僵化的保守的空殼
拒絕官方安排的金質誘餌
拒絕不存在的美
拒絕粉飾現實
拒絕空幻的作業
領軍十四位起義的學生藝術家
以人民以勞動為榜樣
追求真實信仰自由
籌組「自由美術家協會」最俄羅斯的藝術集團
高舉「巡迴展覽畫派」大纛
繪畫最俄羅斯風的人物

〈養蜂人〉、〈護林人〉最貼近土地的勞動者
〈荒野中的耶穌〉最典型革命者的投影

2017.06.21.

詩人思想家

——羅　丹（Auguste Rodin ,1840～1917）

霸氣的開創者
人性的歌詠者
傳播自由的信使

承擔正義化身
完成加萊六義民的慷慨凜凜
也未忽略施放情慾的蠱惑
汲取情婦智慧還折磨之
相愛兩人的情戀無止盡
上窮碧落下黃泉依然緊纏擁抱

〈青銅時代〉充滿少壯生命的青春行動力
無頭無臂猛壯的健行者
張展的一隻手撐起大教堂
與同時代傑出文學家雨果巴爾札克波德萊爾並列
藝壇傳敘嘉話流芳後世

2017.03.09.

追光尋光

──莫　內（Claude Monet, 1840～1926）

擺脫學院束縛
年輕人力求推出新美學
沒有陽光，畫筆收斂
在暗黑中思索光的流動

留駐日出印象的專利
晨午昏時辰有異
光的亮度自然區別
物象不必一致

接受浮世繪的薰陶
經營吉維尼花園
繪製白楊、乾草、教堂、睡蓮、橋五大系列

堅持光　堅持畫到眼盲
架構了寫實到抽象的橋樑
頌揚生命之美

2017.03.05.

土地之花

——列　賓（Repin,1844～1930）

獲權勢者賞識但保持距離
展示出眾才華
自熱愛的土地綻開
最鮮艷的花朵

為人民苦難與貧窮發聲
擔綱勞動苦役的代言人
〈伏爾加河上的縴夫〉最為經典

革命家〈意外的歸來〉
家人疑惑不安恐懼興奮
微震漸擴的漣漪

偉大畫家描繪偉大文豪
心儀請且並肩同時代
留下四十幅肖像畫中
〈赤足托爾斯泰〉最貼切俄羅斯土地

2017.06.22.

清澈的抒情

——秀　拉（Georges-Pierre Seurat,1859～1891）

認真鑽研色彩學
探索色環如何增光或減彩
12 年的繪畫
造就了 31 歲的大師級藝術家

跨越印象派開創新技法
展示分色主義揮灑點描的傑作

被官展拒絕的〈阿尼埃浴者〉
在獨立畫家協會展覽成功
〈週日午後的大傑特島〉再次大放異彩
是兩件等同壁畫的大型及傑作

夢幻的抒情將瞬間拉成永恆
在畫幅裡見到詩找到牧歌
生性開朗求新求進步的 Seurat
在〈突巖〉畫還學習到日本名畫精髓

2017.03.10.

時尚海報

——慕　夏（Alphonse Mucha, 1860～1939）

廣告時代來臨
裝飾變妝成藝術
任何商業靠女人撐
任何廣告都得
優雅魅力華貴脫俗

階段性的意外成就
歌劇天后的完美女性海報
單車廣告續添完美
香菸也要女子
女人不再是神話

與時跟進的前衛設計師
幸福的藝術家
用線條與花卉萌現活力動感
創造出綜合聖母與維納斯的新時代女性

2017.02.28.

金色頹靡

——克林姆（Gustav Klimt,1862～1918）

東方冥界喜歡的金箔
成就西方藝術家的鍾愛
重現輝煌拜占廷的豐富格局
感應世紀末世紀初的頹唐情求新
乍見帝國榮耀的迴光反照
（畫家離世，國隨之崩亡）

金箔鑲嵌的情戀，高貴華麗
深情擁抱陶醉的〈吻〉
金箔鋪陳的愛慾，頹靡致命
讓黃金雨流入大腿間暴露乳房的〈Danaé〉

要蕩婦，要女妖
要索人命的迷魅眼眸
貴婦沙龍女人主動近身
也要肯綠靜美的林木田園房舍

2017.02.13.

釋放壓抑

──孟　克（Edvard Munch, 1863～1944）

生命的吶喊
是掙脫無奈的徵候

「我的天使是病魔與死亡」
為此，不得不尖叫。
同樣致命女人
虔敬獻上僵冷與摧殘
枯瘦與吸血鬼

釋放壓抑的夢遊症患者
記不住畫家的容顏
牢印橘紅的天空
那是火山爆發噴出的餤光
那是內心積累鬱悶的色澤

不安和恐懼
維繫著生存的呼吸

2017.03.05.

最愛巴黎

——尤特里羅（Maurice Utrillo, 1883～1955）

遺傳母親的基因
天生畫家無需美術學校
巴黎就是導引者

從蒙馬特開始
看到什麼路街房舍教堂更別提咖啡廳塞納河
信筆拈來輕鬆揮灑
都馴服在我的調色盤

我是私生子
醉酒打架酒精中毒是天賦
街頭拘留所任我借臥

我是巴黎之子
一條以我為名的路 Rue de Maurice Utrillo
全巴黎的顏料都傾倒入我的
3500 件畫布

2017.03.18.

永遠的玫瑰

——羅蘭珊（Marie Laurencin,1883-1956）

愛是文藝的催化劑
情史即創作史
男畫家如此，女畫家亦然

相知受寵於詩人 Apollinaire
誰不吟唱香頌〈米哈波橋〉
多情詩人嘆息塞納河水的川流情逝

自願承襲喬治桑尋愛的信徒
彩繪珍藏每階段感情
優雅對抗世局殘暴冷酷
不離真實建構獨特風采

多重藍白粉紅的夢幻柔和情境
手持玫瑰花的女子
放愛留愛
為畫家永恆駐顏

2017.02.17.

註：喬治桑（George Sand，1804～1876），女性；是開
啟田園風格的法國浪漫小說家，著作 200 多部小說。
一生也尋愛不斷，包括詩人繆塞、鋼琴家蕭邦等。

裸女和酒精

──莫迪里亞尼（Amedeo Modigliani, 1884～1920）

「我愛活生生的美麗肉體，
比起你畢卡索用線條切割的，
真實新鮮。」

一手在柔酥青春女體遊走
一手順著腦中葡萄樹藤攀爬
結構了美與酒的幸福頹靡

閉目或睜眼
躺或斜臥
露毛之必要
挑戰大眾的神經

酒精之必要
麻醉現實的困境
我的愛就是畫
持續畫畫之必要

2017.02.27

唯女人是美

——竹久夢二（1884～1934）

唯女人是美
畫家如此描繪如此詠讚

豈止暖春艷夏
連秋冬多彩情韻一併釋放
不藏私無吝惜

大眼長眉瓜子臉細白纖手微現腳趾
體態溫順柔媚卡娃伊造型

夢幻少女畫迷魅情竇初開
迷魅少年川端康成

流露無常虛像的愁悵
瀰漫大正時期的浪漫哀怨風味

唯女人具永恆美
留駐青春容顏服飾
傳播傳染夢二的唯美絕唱

2017.02.15.

溫暖的詩意

——米　羅（Joan Miro, 1893～1983）

一粒圓點　一條線
開始追逐　築巢　圓一幅畫
貫注生命力的色彩

女人永遠可愛
讓女人說話
讓女人發揮活動空間
讓女人施展柔媚的狂野

一條親切的長蛇
肚裡典藏太多想像不到的東西
還有夢

追索抽象的抒情與詩意的轉化
無需探究意義及目的
在在傳送清新的童趣
圓福滿意的幻想

2017.03.23.

華麗夢境

——德爾沃（Paul Delvaux,1897～1994）

碧空有月，撒旦在召喚
趕赴異教的夜間儀式？
分別從殘垣古城廢墟廣場車站

這裡，無季節無歲月
華麗神秘陰森淒清暗鬱
裸女遊魂，中邪似的
無表情無歡愉

這裡，女性獨特的暗鬱世界
男人隱退迴避陪襯者聊備一席
鮮明豐盈的肉體有色無戀
連天鵝
僅只僵硬貼靠無心交媾

霜冷美女無挑逗無心跳
石雕情感零度呆滯飄忽

2017.02.13,

波希米亞的耽溺

——常　玉（1901～1966）

從東方啓程
Playboy 的瀟灑紈綺
沉醉於花都的藝術風景
迷亂在裸露、解放、無所謂、無承擔

酒，必然的
足可取代女人
女人，更是需要的
用畫贏得

誰沒見過艷麗的肉體？　（註）
以藝術為名
女人的青春胴體
在浪子的筆下輝煌起來
誰能詮釋這些畫？
簡約數筆，畫像即實體！

註：徐志摩（1896～1931）散文〈巴黎的鱗爪〉第 2 篇〈先
　　生，你見過豔麗的肉沒有？〉，文章裡提到的畫家，
　　沒有明指哪一位。其實就是常玉。
　　常玉生卒年份，在巴黎的墓碣寫：1901～1966。台灣
　　出版常玉書刊畫冊，有些標示 1900～1966。
　　　　　　　　　　　　　　　　　　　　　2017.02.09.

驚悚怖懼

——達　利（Salvador Dali ,1904～1989）

軟化腕錶融蝕時間
為了確保情戀的永恆記憶

不時出現荒涼的海岬
長存故鄉的牽繫

提醒內戰爆發
不忍兄弟自殘折損自己的國人

正義者四肢孱弱
掌權的惡虎撲羊

唯一的狂傲
誰有資格評鑑我的畫
我僅恃才

唯一的溫馨
親自扮演宙斯化身天鵝
接近現代的麗達 Gala

2017.03.28.

傳奇風采

──卡　蘿（Frida Khalo, 1907～1954）

傳奇的傑出女畫家
自我療癒傷痛的醫師

原本單純的愛
不得不宣布自主權
走在「布幔之間」展示情書

一個卡蘿不夠
兩個卡蘿鏡像輝映
完整的互相挺持撫慰

豐饒大地母的滋養
原住民厚盈色彩
獨立女權
里維拉只得縮身躲躺卡蘿懷中

坎坷的生命需要更強烈的勇氣
〈希望之樹　保持堅定〉小旗時時揮揚

2017.04.06.

寧謐幽深

——東山魁夷（1908～1999）

美，不是誰發明的創造的
只要用心就能發現到

細心領會大自然裡的神秘主義
擷取西方風景畫技巧
揉合日本傳統情趣雅致
虔誠的態度虔誠的手調製出道地的大和風

觀者仔細端詳每幅創作
都能清晰聽到水滴的滋潤聲
見識陽光的強烈穿透力
感動畫家誠懇謙虛的心思

奔放的綠　　沉澱的藍
水岸湖畔的倒影
不再是山　不再是樹
都是大和魂的美麗倩影

2017.02.16.

奢華貴族

——巴爾杜斯（Balthus,1908～2001）

我自學
在羅浮宮習畫，終要成家

沒有發出革命聲音
仍是隊伍裡不缺席的單兵革命人
堅守具象
對抗畢卡索們的多變

單兵也要享樂
流亡者依然不短缺王族大公生活
女體是樂器
時時奏鳴協和的音樂
戀少女　留住她們的純真
最戀 narcisse
啓蒙的普桑　推手的里爾克
伴侶出田節子都是同行者

2017.06.21.

【後記】

凝　視

　　2015 年 4 月 9 日重新翻閱卞之琳《雕蟲紀歷》，見到內夾一份小剪報：1990 年 7 月 2 日《聯合報》17 版，標題〈凝視大師〉。內文為記者陳長華的「新聞現場」報導，敘述台北市立美術館展覽比利時超現實主義畫家保羅・德爾渥作品，一對「約會的男女，在畫前坐了許多，許久，不忍離去。」名畫與賞畫人都成了鏡頭下的獵物。

　　凝視大師。當下決定：如果書稿完成，書名將取《凝視》。儘管之前，詩壇已有朵思精裝詩集《凝睇》，烔明兄詩集《凝視》。還構思 50 位畫家，每位篇幅四頁：一頁圖、一頁詩、兩頁文，約 200 頁，預計 2016 年完成：莫渝美術詩文集《凝視》或《凝視大師》這麼一本書。

　　畫家，具透視之目；詩人，擁凝視之眼。畫家建構宏偉藝術殿宇，詩人嘗試巡禮凝視其堂奧。曾經在書上讀到羅丹工作時「凝神且充滿感激！」凝神且充滿感激和感動！這也是長年進行詩文學作業的心聲。

　　凝視大師，凝視人生，凝視太陽與美。唯，思考書名，變動再三，或者《凝視與透視》，或者《拜訪與凝視》（2017.02.02.定名）。2017 年 3 月 5 日決定最終書名《畫廊：莫渝美術詩

集》。

　　課堂上，一定會提及羅丹的話：「美，到處都有。對我的眼睛而言，不是缺少，而是發現。」以及「沒有生命，便沒有藝術。」還有，忘記抄自誰的文句：「因為藝術，我見到生命的完美！」

　　7 月 22 日（六），恆豪兄難得過華江橋到板橋訪談，還特地攜伴手禮：書與咖啡。書，竟是大部書的聯經版《二十世紀偉大的藝術家》；想必是要我多學習與更傾近藝術家的創作。好友情誼誌此，永備難忘。多年交情的畫家施並錫教授、詩人畫家盛正德的詩集畫冊、盛鎧教授策展編寫的畫書、1970年代後浪詩社時期詩人畫家林興華重聚等，一併感謝支持。希望這本書的書寫編輯印製，當作誠摯的回謝。

2017.07.29.於板橋

【附錄 1】

畫家語錄（抽樣）

鹽月桃甫（1886～1954）：三日不拿畫筆，如何稱畫家呢？

陳植棋（1906～1931）：如果生命是細而長的話，我寧願短而亮，我嚮往迸發的生命力。」

廖繼春：我不會講話，我用畫來說我的話。

李石樵（1908～1995）：藝術家如果不用心的話，等於宣佈死亡。繪畫絕不允許捉摸的作品存在，畫維納斯就必須能抱住她。

張建墻（1911～1992）：這世界的一切是美的，這一種美是無價的，是自然的，也是無邊的。

張義雄（1914～2016.05.27.）：我是無名的野草，無日頭，無露水，原在是要開花。有逆境才有光采。

金潤作：藝術在畫家三十歲時便可看出勝負。

侯俊明：不能猶豫。----創作是隨時隨地都在發生的，是沒有假日的。惟有利他，才足以稱王。

莫迪里亞尼（Amedeo Modigliani, 1884～1920）：我只要一個短促卻熱烈的生命！

東山魁夷說：「畫了一輩子的畫，才感到剛剛邁進藝術之門。」

巴爾杜斯（1908～2001）話語：「我是自學者，我在羅浮宮臨摹而學習如何繪畫。」

【附錄 2】

藝術巡禮：名畫欣賞　課程
建立「我的美術閱讀史」

1.**課程概述** （建立「我的美術史」）

2.希臘羅馬神話的雕像與繪畫

3.荷蘭派美術家：林布蘭、維梅爾、梵谷

4.傑出雕塑家：羅丹

5.法國畫家、印象派

6.西班牙三大畫家畢卡索、米羅、達利的繪畫

7.俄羅斯畫家 Kramskoy、列賓、夏卡爾（Chagall）等

8.孟克、莫迪尼亞尼及墨西哥等傑出畫家

9.**期中考**：繳交作業

10.台灣美術家（雕塑家）：黃土水、黃清埕、丘雲、林淵等

11.台灣美術家：李梅樹、洪瑞麟、陳慧坤

12.台灣美術家：倪蔣懷、顏水龍、許武勇

13.台灣女畫家：陳　進、陳香吟、顏明惠等十餘家

14.與 228 事件、白色恐怖等元素相關畫家：
　　　陳澄波、歐陽文、施並錫、陳武鎮等

15.苗栗畫家：何德來、張秋台、邱錫麟、盛正德等十餘家

16.客籍畫家：蕭如松、詹益秀、何文杞等十餘家

17.日本繪畫：浮世繪、地獄變、竹久夢二、東山魁夷。

18.**期末考**（筆試）